DADOS INTERNACIONAIS DE
CATALOGAÇÃO NA PUBLICAÇÃO (CIP)
Angélica Ilacqua CRB-8/7057

Porter, Max
Luto Sem Medo / Max Porter ; tradução de Caetano
W. Galindo. — Rio de Janeiro : SOMOS Livros, 2021.
128 p.

ISBN: 978-65-5598-114-8
Título original: Grief is the Thing with Feathers

1. Ficção inglesa 2. Luto — Ficção 3. Poesia inglesa
I. Título II. Galindo, Caetano W. III. Crow, L Eleanor

19-2158   CDD 823

Índices para catálogo sistemático:
1. Ficção inglesa

....

"That Love is all there is" de *The Poems of Emily
Dickinson: Variorum Edition*, org. por Ralph W. Franklin,
Cambridge, Mass.: The Belknap Press of Harvard
University Press, Copyright © 1998 by the President and
Fellows of Harvard College. Copyright © 1951, 1955, 1979,
1983 by the President and Fellows of Harvard College.

LUTO SEM MEDO
Copyright © 2015 by Max Porter
Tradução para a língua portuguesa
© Caetano W. Galindo, 2021
Publicado originalmente em 2015 pela Faber & Faber Ltd.
Ilustração de capa: Eleanor Crow
Ilustração de guarda: Watanabe Seitei

Os sentimentos desta obra são muito
reais e se referem a pessoas, pássaros,
fatos e pensamentos transformadores que
podem nos ajudar a reconstruir um novo
olhar sobre nós e o ciclo natural da vida.

SOMOS O QUE VIVEMOS

SOMOS Conselheiros
Christiano Menezes,
Chico de Assis, Bruno
Dorigatti, Marcel Souto
Maior, Daniella Zupo

SOMOS Criativos
Design: Retina78, Arthur Moraes,
Guilherme Costa, Sergio Chaves
Texto: Eduardo Coelho, Felipe
Pontes, Fernanda Lizardo

SOMOS Propagadores
Mike Ribera, Giselle Leitão
SOMOS Família
Admiração e Gratidão
SOMOS impressos por Geográfica

Todos os direitos desta edição reservados à
Somos Livros® Entretenimento Ltda.
Coffee HouseXP® Entertainment and Media group

© 2021 SOMOS LIVROS/ COFFEE HOUSE.XP

MAX PORTER

LUTO SEM MEDO

OU O LUTO É A COISA COM PENAS

tradução & posfácio
Caetano W. Galindo

SOMOS

Para Roly

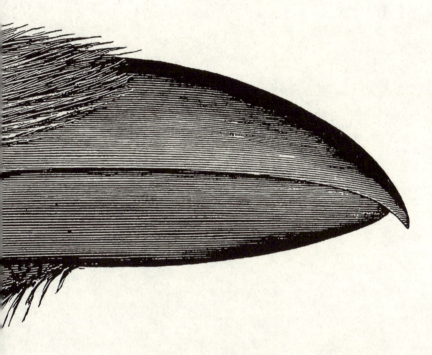

O ~~Amor~~ [corvo] é só o que há

É tudo que sabemos sobre o ~~Amor~~ [corvo]

E basta, o ~~fardo~~ [corvo] então será

Proporcional ao ~~vinco~~ [corvo] que deixou

Emily Dickinson

primeira parte

UMA DOSE DE NOITE

MENINOS

Tem uma pena em cima do meu travesseiro.

Os travesseiros são de penas, durma.

É uma pena grande e preta.

Venha dormir na minha cama.

Tem uma pena no seu travesseiro também.

Vamos deixar as penas onde elas estão,
e dormir aqui no chão.

PAI

Quatro ou cinco dias depois que ela morreu, eu
estava sentado sozinho na sala de casa pensando
o que fazer. Andando à toa por ali, esperando
que o choque passasse, esperando que algum tipo
de sentimento estruturado surgisse da falsidade
organizacional dos meus dias. Estava sentindo uma
ressaca oca. Os meninos, dormindo. Eu bebendo.
Fumei uns cigarros que enrolei, soltando a fumaça
pela janela. Parecia que talvez o principal resultado
de ela ter ido embora seria eu me tornar de maneira
permanente esse organizador, esse mercador de
clichês de gratidão, gerando listas, esse maquínico
arquiteto de rotinas para criancinhas órfãs de
Mãe. A dor parecia quadridimensional, abstrata,
vagamente familiar. Eu sentia frio.

Amigos, família, os que andaram por aqui sendo
bondosos já tinham retornado às suas vidas. Quando
as crianças iam dormir o apartamento não tinha
sentido, nada se movia.

A campainha tocou e eu me vi pronto para mais
bondade. Outra lasanha, uns livros, um abraço,
potinhos com comida para os meninos. Claro que
eu estava virando especialista no comportamento
das pessoas enlutadas que orbitavam por ali. Estar
no epicentro confere uma curiosa consciência
antropológica de todos os outros; os desconsolados,
os de afetada leveza, os até-aqui-nadas, os que não
vão, os mais novos melhores amigos dela, meus,
dos meninos. As pessoas que ainda nem fodendo eu
sei quem são. Eu me sentia como a Terra naquela

imagem incrível de um planeta cercado por um grosso cinturão de lixo espacial. Achava que levaria anos até que o sonho emaranhado dos gestos encenados dos outros no lamento da minha esposa morta fosse ficar esgarçado a ponto de eu enxergar de novo o espaço negro, e claro — vai sem dizer — pensar essas coisas me deixava mal. Mas, eu pensava, para me dar um apoio, tudo mudou, e ela foi embora e eu posso pensar o que quiser. Ela aprovaria, porque nós sempre fomos analíticos demais, cínicos, provavelmente desleais, desorientados. Malvadinhos que autopsiam jantares passados com suas melhores intenções. Hipócritas. Amigos.

A campainha tocou de novo.

Desci a escada acarpetada até o frio do corredor e abri a porta da frente. Nada de postes de luz, cestos de lixo nem pedras de calçada. Nada de forma ou de luz, contorno algum, somente um fedor.

Houve um estalo, um farfalhar que me jogou para trás, que me ventou para o degrau. O corredor estava em trevas e gelado e eu pensei "Que tipo de mundo é esse em que eu seria assaltado em casa na noite de hoje?". E então pensei "Francamente, e faz diferença?". Pensei "Por favor não acorde os meninos, eles precisam dormir. Eu te dou até a minha última moedinha desde que você não acorde os meninos".

Abri os olhos e estava ainda no escuro e tudo estalava, farfalhava.

Penas.

Um denso odor de podridão, doce fedor mole de comida mal-tornada-incomestível, e musgo, e couro, e fermento.

Penas por entre os meus dedos, nos olhos, na boca, por baixo de mim uma rede de penas que me levantava meio metro acima das lajotas do piso.

Um único olho negro do tamanho do meu rosto, que piscava lentamente, numa órbita seca, enrugada, protuberância de um testículo do tamanho de uma bola de futebol.

SHHHHHHHHHHHHH.

shhhhhhhh.

E o que ele disse foi o seguinte:

Só vou embora quando você não precisar mais de mim.

Me põe no chão, eu disse.

Só quando você disser oi.

Me. Põe. No. Chão, eu resmunguei,
e minha urina aqueceu o berço de sua asa.

Você está com medo. Só me dê oi.

Oi.

Diga direito.

Eu me recostei, resignado, e quis que minha mulher não estivesse morta. Quis não estar estendido, aterrado, no vasto abraço de uma ave no meu corredor. Quis não estar obcecado com isso bem quando ocorreu a maior tragédia da minha vida. Eram desejos concretos. Aquilo era amargamente encantador. Eu tive certa lucidez.

Oi, Corvo, eu disse. Que bom te encontrar finalmente.

*

E ele desapareceu.

Pela primeira vez em muitos dias eu dormi. Sonhei com tardes na floresta.

CORVO

Muito romântico, o nosso primeiro encontro.
Mal educado. Estrondo tombo. Apartamento dois
andares, soçobrado, errame um tanto farpado, fui
indo fácil parede adentro e até o sótão um quarto
pra ver aqueles menininhos de algodão dormindo
quietos, zumbido embriagante de crianças inocentes,
felpas, farpas, fraca-faca-farta, aquilo tudo luto só,
cada canto Mãe morta, cada lápis, trator, casaco,
bota de borracha, tudo coberto de dor. Descendo
a escada Mãe morta, patinhas das pontas nas garras
agudas sussurro, até o quarto recém-da-Mãe-e-do-
Pai. Eu era espírito do caçador, sem cornos, cerda.
Ferda. Ei-lo aqui. Apagado. Branco de bêbado.
Eu me debrucei nele e senti o hálito. Notas de sebe
podre, varejeiras. Abri-lhe a boca à força e contei
ossos, fiz um lanchinho nos dentes sujos, fio-
dentei, corvalmente joguei-lhe a língua daqui, de
lá, ergui o edredom. Beijinho esquimó. Beijinho
borboleta. Dei-lhe beijinho passarinho esvoacento.
Suas felpas (pé-dedinho-chepa) sacos de foder tão
tristes, macios, caídos, subindo, e descendo, subindo,
e descendo, subindo, e descendo, e eu rezando que
alento e epiderme sussurrassem "carne, aah, carne,
aah, carne, aah", e foi lindo assim pra mim, subindo
(bem a minha cara) e descendo (bem a minha cara)
formato-panela (bem a minha cara) seria de espantar
que os fatos da minha chegada sob o seu lençol não
o puseram de pé, fedor, podre-fodre-modre, acorde,
humano (PENAS DE AVE PELA TUA BUNDA, TE ENTRANDO
PELO PAU, PELA BOCA) mas ele dormindo e o quarto,

um mausoléu. Ele era vestígio acidental e eu sabia que era o seu melhor papel, a coisa mais divertida. Pus uma garra na bola do olho e testei o peso arrancando por prazer ou piedade. Arranquei uma pena preta do capuz e deixei na testa dele, para, a, cabeça, dele.

Como lembrança, como aviso, como dose de noite de manhã.

Como pausa na manhã. Eu vou te dar alguma coisa em que pensar, sussurrei. Ele acordou e não me viu contra o negror do seu trauma.

fuiiist, ele estalou.

fuiiist.

PAI

Hoje eu voltei ao trabalho.

Dei conta de meia hora e fiquei rabiscando.

Fiz um desenho do enterro. Todo mundo tinha cara
de corvo, menos os meninos.

CORVO

Olha lá, olha, consegui ou não, ó, vê só, espetei.
Livro bom, seus engraçadinhos, porta aberta, bate
a porta, cospe isso, lambe aqui, ergue, ó, vê só, para
com isso.

Oportunidade fresca. Deixa pra lá, toda noite, nascer
do sol, só mudança, só carne isso, só carne aquilo,
separar o fedor. Consegui ou não consegui, uuh,
asfalto pedra-pavimento. Comestível, grudento, uma
camuflagem ruim.

Me amarrem no mastro ou eu meto nela até a minha
matemática lhe sair pela desculpa, desculpa, desculpa,
olha! Uma mão cortada, espinheiro, uma caixa de
cisnes, de histórias, arco-mijo, melhor assim, tem
que parar de tremer, tem que ficar parado, eu preciso
ficar parado.

Ó, vê só, vai por mim. Conseguiu ou não fielmente deixar S. Vicente em Lisboa. Vai com Deus, um tanto de fígado, faro, farejo, amaciante de roupa, couro, trilhos derretidos para bombas, balas. Consegui ou não levar a bruxa pra outra margem. Não fode, não fiz. Melro manda melodia automático amarelo-foda-se, sujo, galãzinho, piada, pio range, piada, pio tange, piada. Paciência.

Podia ter dobrado o camarada por cima de uma cadeira e dado via endovenosa uns amargos boletins da verdadeira uma-hora da morte da esposa. OUTRAS AVES FARIAM, não tem bonzinho malvadinho no reino. Melhor ir me virando.

Eu acredito no método terapêutico.

MENINOS

Nós éramos pequenos com carrinhos de controle
remoto e carimbos de brinquedo e soubemos que tinha
alguma coisa ali. A gente sabia que ninguém respondia
direito quando a gente perguntava "cadê a Mãe?"
e sabia, antes até de mandarem a gente ir pro quarto
e sentar na cama, com o Pai no meio, que alguma coisa
tinha mudado. A gente supôs e entendeu que seria
uma vida nova e que o Pai era agora um outro tipo
de Pai e nós, outros meninos, meninos corajosos sem
Mãe. Então quando ele contou o que tinha acontecido
eu não sei o que o meu irmão estava pensando mas eu
estava pensando o seguinte:

Cadê os bombeiros? Cadê o ruído e o clamor de
um acontecimento desses? Cadê os desconhecidos
que se esforçam pra ajudar, gritando, arremessando
itens fosforescentes de emergência pra nós, tentando
acalmar e salvar a gente?

Devia ter homens de capacete falando uma nova
e dramática língua de crise. Devia ter horrendos níveis
de estrondo, totalmente estranhos e inadequados ao
nosso confortável apartamento londrino.

Não teve multidão nem estranhos de uniforme, e não
teve uma nova língua de crise. Nós ficamos de pijama
e as pessoas fizeram visitas, trouxeram coisinhas.

Feriado e escola viraram a mesma coisa.

CORVO

Em outras versões eu sou médico ou fantasma.
Disfarces perfeitos: médicos, fantasmas e corvos.
Nós fazemos coisas que outros personagens não
fazem, como comer o luto, desdar à luz segredos
e entrar em cênicas batalhas com a linguagem e com
Deus. Eu fui amigo, fui pretexto, *deus ex machina*,
piada, sintoma, invenção, espectro, muleta, brinquedo,
espírito, truque, analista e babá.

Eu fui, afinal, "a ave central... em cada extremidade".
Eu sou modelo. Eu sei, e ele sabe. Um mito que se
aceita. Que se acolhe.

Hei de inevitavelmente defender a minha posição,
pois a minha posição é sentimental. Vocês não
conhecem a história das suas origens, a sua verdade
biológica (acidente), as suas mortes (picadas de
mosquito, geralmente), as suas vidas (negação,
felizmente). Não pretendo discutir absurdos com
qualquer um de vocês, que nos perseguem desde
o princípio dos tempos. De que serve um corvo
a uma manada de humanos que sofrem? Um bando.
Um soluço.
   Uma chaga.
     Uma tampa.
       Boquiaberta.
        Uma carga.
Uma fresta.

Então tá. Eu como coelhinhos, roubo ninhos,
engulo sujeira, engano a morte, rio dos sem-teto
esfaimados, iludo, minto. Ó, larga mão! Montoeira
de tempo perdido.

Mas me toca, a fundo. Eu acho os humanos chatos,
a não ser no luto. São pouquíssimos os que na saúde,
no desastre, na fome, atrocidade, esplendor ou na
normalidade me interessam (interessam a MIM!) mas
criancinhas órfãs, sim. Criancinhas órfãs são puro
corvo. Pra uma ave sentimental é perfeito, lindo, uma
delícia atacar um ninho desses.

PAI

Fiz um desenho dela descosturada, costelas abertas
expostas que nem xilofone com as aves mortas
tocando musiquinhas nos ossos.

CORVO

Eu escrevi centenas de memórias. É uma
necessidade pra figurões como eu. Acredito que
digam ser imperativo.

Era uma vez um casamento de sangue, e o filho corvo
estava bravo porque a mãe casava de novo. Então
ele voou. Foi procurar o pai mas encontrou somente
carniça. Fez amizade com fazendeiros (entregava
outras aves a suas armas), cientistas (fazia coisas com
ferramentas que nem os chimpanzés conseguiam),
e um ou dois poetas. Acreditou, em diversas ocasiões,
ter encontrado os ossos do Pai, e chorou e gritou pros
nojentos Açores "eis os ossos cinzentos de meu Papai
encapuzado", mas toda vez quando olhava de novo
era o cadáver de um outro corvídeo. Então, cansado
dessa vida de fábulas, de saco cheio da sua celebridade
agourenta, arrastou-se aos saltitos e revoos para casa.
A festa do casamento ainda andava a toda e o velho
corvo cinza copulando com a sua mãe numa pilha de
lixo no pé da escada era ninguém mais que seu pai.
O filho corvo gritou sua dor e sua confusão para os
pais que se torciam. Seu pai riu. KONK. KONK. KONK.
Você viveu bastante e foi corvo dos pés à cabeça, mas
ainda não tem senso de humor.

PAI

Leve.
    Liso.
        Como brilho, o pé de um filho com talco
em pó e beijado, camurça afagada ao contrário,
como pó, arrepios e tremores, promessa, como
praga, sementes, como tudo que tem veios, pregas,
laços, ou tem número, como tudo feito natureza
e violento e calmo.

Está tudo todo ausente. Nada agora é paciente.

MENINOS

Eu e meu irmão encontramos um lebiste numa poça
dessas de maré. Decidimos tentar matar o peixe.
Primeiro jogamos pedrinhas na água mas o peixe
era veloz. Então tentamos cascalho e rochas, mas
o peixe se escondia nos cantos sob frestas pequenas,
ou disparava dali. Nós éramos meninos humanos
e o peixe, só um peixe, então elaboramos um jeito
de matar. Enchemos a poça de pedras, cercando
e represando o lebiste numa área cada vez menor.
Logo ele rodava lenta e tristemente na minúscula
prisão e nós selecionamos uma pedra perfeita. Meu
irmão arremessou com toda força e ela estalou
e jogou água, n'água embaixo d'água, e deleitados
nós a erguemos. Pode apostar que o peixinho
morreu. A diversão sumiu inteira na larga paisagem
da praia. Eu senti náusea, o meu irmão xingou. Ele
sugeriu jogar o lebiste sem vida no mar mas eu não
conseguia pôr a mão então nós subimos a praia
correndo e o Pai nem ergueu os olhos do livro mas
disse "vocês fizeram coisa errada dá pra ver".

PAI

Nunca mais vamos brigar, as nossas lindas discussões, velozes, quase modelares. Delicado ponto-cruz de desavenças.

A casa torna-se uma enciclopédia material do não-mais-dela, que não cessa de espantar e que é a diferença principal entre a nossa e uma casa onde a doença exerceu seu trabalho. Gente doente, no seu último dia na Terra, não deixa bilhetinhos em garrafas de vinho tinto dizendo "você nem pense nisso, seu chupinhento". Ela não estava lidando com a morte, e não restam detritos de cuidados, lidava apenas com a vida, e aí foi embora.

Ela nunca mais vai usar (maquiagem, açafrão, pente, dicionário de sinônimos).

Ela nunca mais vai terminar (romance de Patricia Highsmith, manteiga de amendoim, protetor labial).

E eu nunca mais vou comprar livros daquela coleção feminista no aniversário dela.

Vou deixar de encontrar os seus fios de cabelo.

Vou deixar de ouvir a respiração dela.

MENINOS

Encontramos um peixe numa poça e tentamos
matar mas a poça era grande demais, e o peixinho
nadava demais aí a gente represou e esmigalhou.
Depois, eternamente, o meu irmão desenhou a poça,
o peixe, nós dois. Diagramas que explicavam as
escolhas. O meu irmão sempre emprega diagramas
pra explicar nossas escolhas, mas não são coisas
científicas, são bem ordinários. O meu irmão gosta
de fazer diagramas ordinários e mal desenhados
apesar de na verdade ele saber desenhar direitinho.

CORVO

Cabisbaixo, paripasso, espiando.
Cabisbaixo, saltimbranco, oscilante.
Ergue os olhos. "NOTAS ALTAS, DURAS
     E INDIGNADOS KRAS" (*Collins Guide to Birds*, p. 45).
Cabisbaixo, regargalo, tropegando.
Cabisbaixo, atopetado, saltitante.
Ele podia aprender muita coisa comigo.
Por isso é que eu estou aqui.

PAI

Há um fascinante diálogo permanente entre
o eu natural do Corvo e seu eu civilizado, entre
o rapineiro e o filósofo, a deusa do ser completo
e a mácula negra, entre o Corvo e a sua avitude.
A mim parece ser diálogo idêntico ao que se passa
entre luto e vida, antes e hoje. Podia aprender muita
coisa com ele.

MENINOS

O pai foi embora. O Corvo, no banheiro, onde
passa muito tempo porque gosta da acústica. Nós,
agachados na frente da porta fechada, escutando.
Ele fala bem lento, bem claro. Soa meio antiquado,
como o vinil que o Pai tem do Dylan Thomas. Ele diz
SÚBITO. Diz TRAUMA. Ele diz Induziu... tosse e cospe
e tenta outra vez, INDUZIU. Diz SÚBITO TRAUMA INDUZIU
ALTERAÇÃO DE ESTADO DE CONSCIÊNCIA.

O pai volta. O Corvo troca a melodia.

CORVO

Cá de cá, mortim de medo cá. Olá de lá, crip crop
crip crop quem será o lazurinto que se serve do meu
recorte? Deixa eu cabriolo essa asa acertada tapa um
tapa dois, criancinhas órfãs na arapuca, na abside,
em meias separadas pra panela, Pronunceie dereito,
revirando e remexendo, de beiços tristimunhos
e queimando-ses. Ui, pressão! Tem que ensaiar, tem
que xingar menos. A nobreza de natura, haha kra
haha kra haha, melhor não.

(Eu faço isso, eu mando umas coisas corvas bem
doidas, pra ele. Acho que ele acha que é meio
Stonehenge xamã, ouvindo o espírito-ave. Por mim
tudo bem, se é disso que ele precisa.)

Megálito!

segunda parte

DEFESA DO NINHO

PAI

Catorze meses para terminar o livro para
a Parenthesis Press: O Corvo *de Ted Hughes no divã:*
uma análise selvagem.

Eu tenho um editor seboso, de Manchester, que me
envia bilhetes encorajadores e diz que entenderia
se fosse demais, agora, eu escrever um livro. Nós
concordamos que o livro vai espelhar o seu tema.
Vai saltitar um pouco. A Parenthesis espera que
o meu livro possa atrair todos os que estão cansados
da arqueologia Ted & Sylvia. A questão não são eles,
concordamos. Acabamos não discutindo qual então
é a questão.

Toda vez que eu me sento e confiro as minhas
anotações o Corvo aparece no escritório. Às vezes
largado no chão, apoiado numa asa ("Olha! Eu sou
a Vênus Corvina!"), às vezes paciente, pousado
no meu ombro e me dando conselhos ("Isso não
é maldade com o Baskin?"). Normalmente ele fica
acomodado quietinho na poltrona, lendo, chiando.
Folheia livros de fotos e de poesia, entre muxoxos,
suspiros. Não quer saber de romances. Só pega os de
história pra rotular de mongos os grandes, ou pra
xingar a igreja. Aprecia memórias e ficou encantado
ao descobrir o livro sobre a escocesa que adotou
uma gralha.

CORVO

Era uma vez uma ave babá, digamos que seu nome era Corvo. Tinha lido um excesso de histórias infantis russas (menininho preguiçoso pra fogueira, Baba Yaga uiva, Príncipe decente vence), mas era mesmo assim um profissional respeitado, admiradíssimo pelos pais na cidade de Londres, requisitadíssimo nas sextas à noite. No seu anúncio classificado estava escrito:

"Bebelândia: E Além!"

A televisão desligou e o Corvo sugeriu uma brincadeira. "Vocês dois, meninos", ele disse, "têm que fazer — aqui no chão — um modelo da Mãe de vocês. Bem que nem vocês lembram dela! E quem fizer o melhor vai ganhar. Não o mais realista, mas o melhor, o mais sincero. O prêmio é o seguinte..." disse o Corvo, passando a mão no cabelo cheiroso dos dois... "o melhor desenho eu vou fazer ficar vivo, uma mãe vivinha pra te pôr na cama."

E os meninos, mãos à obra.

Um filho escolheu desenhar, furiosamente concentrado como pintor anão de afrescos que andasse de quatro pelos andaimes. Trinta e sete folhas de papel A4 presas juntas e um arco-íris de giz de cera, caneta e lápis, dentinhos mordendo o lábio inferior. Pesados suspiros nasais enquanto ele ajustava os olhos, coçava forte, começava outra vez, indo de cima abaixo, satisfeito com as mãos, satisfeito com as pernas.

O segundo filho escolheu uma colagem, um
modelo da mulher de talheres, de fitas, material de
escritório e brinquedos, botões e livros, ajustando
obsessivamente — saltando de pé, deitando no chão
— como um mecânico embaixo do carro. Estalos,
muxoxos, enquanto contornava a mosáiquica mãe,
feliz com o rosto, feliz com a altura. E, "Pronto!",
disse o Corvo.

"As duas estão incríveis", ele disse, admirando
o trabalho dos dois, "você captou o sorriso dela,
você acertou a postura, ela tinha os ombros
encolhidos neste exato grau!"

E os meninos mal podiam esperar para descobrir
quem ganhou; "Qual?! Qual Mãe?!", mas o Corvo
se pôs aos saltitos, evitando o olhar deles, contendo
a risada e virando de costas.

"Corvo, qual dessas mães de mentira valeu uma
de verdade?"

E o Corvo ficou quieto, parou de rir.

"Corvo, não venha de gracinhas, faz uma Mamãe
de verdade." E o Corvo se pôs a chorar.

E os meninos assaram o Corvo num forno bem
quente até restarem células somente.

Esse é o pesadelo do Corvo.

MENINOS

Então? ela disse, antes de morrer.
A gente não quer banho, a nossa bunda está limpinha!
A gente tomou banho ontem de noite.
Tudo bem, ela disse. Direto pra cama ouvir histórias.

Então? ela disse, antes de morrer.
A gente não quer banho, a nossa bunda está limpinha!
A gente tomou banho ontem de noite.
Muito bem, ela disse, quem não toma banho
      não ouve história.

Pode decidir.

PAI

Nós vamos encher essa casa de brinquedos e de livros
e urrar como aluninhos esquecidos no passeio da escola.

Eu me neguei a perder uma esposa e ganhar tarefas,
então aceitei ajuda. O meu irmão foi incrível, *me*
deem comida, me deixem gritar, com os meninos,
o banco, o correio, a escola, os médicos e a nossa
família. Os pais dela foram bondosos, com a missa,
o dinheiro, com a família deles, *me deixem em paz, me*
deem um tempo, me deem noção dela, me deixem pedir
desculpas, me deixem achar um caminho que não seja
a mera fúria. Os amigos dela, as nossas famílias, com
notícias e detalhes, e as coisas dela, um orgulho pra
ela, fazendo tudo certinho, encontrando uma via
e mostrando para nós, e nenhum clichê à vista.

MENINOS

Não demorou muito, e era a Vó que estava
morrendo. Disseram que a gente podia subir, aí
a gente subiu. O carpete era grosso e molinho
e a gente estava sem sapato. A Vó tinha um tanque
de oxigênio com rodinhas. A gente foi cada um
pra um lado da cama, e pegou numa mão cada.
A minha mão era enrugada, era macia, e tão, mas tão
quentinha. Ela disse que tinha umas coisas pra dizer
se a gente quisesse escutar. A gente falou que queria.
Nasci querendo, Vó, o meu irmão disse, o que
eu achei inadequado, mas ela disse "Isso, nasceu
querendo, meu amor".

Ela disse que os homens raramente eram bons de
verdade, mas que muitas vezes eram engraçados,
o que era melhor. "Era bom vocês se irem
preparando pra desilusões", ela disse, "no que se
refere aos homens. As mulheres de modo geral são
bem mais fortes, normalmente mais espertas", ela
disse, "mas menos engraçadas, o que é uma pena.
Tenham filhos, se puderem", ela disse, "porque vocês
vão ser bons nisso. Podem pegar o que quiserem
desta casa. Eu quero dar tudo que tenho pra vocês
porque vocês são meninos preciosos, uns meninos
lindos. Vocês me fazem lembrar tudo que já me
interessou na vida", ela disse.

"Vocês não odeiam ouvir esse chiado no meu peito?"

Não, a gente disse, tudo bem.

"Podem pegar os cigarros que estão nas gavetas da cozinha", ela disse, "e um dia vocês vão ter esse chiado também. A raiz da grama da minha sepultura vai tossir e vai chiar, podem escrever."

A gente ficou ali enquanto ela dormia e
uma moça alta com um uniforme branco
bem justo trocou os cobertores.

PAI

No acostamento tinha um filhote morto de raposa,
olhos abertos, grudado na grama gelada, lembrando
mais aborto que atropelo.

Eu era capaz de levar de bicicleta a Heptonstall ou
levar descongelando até a cozinha, e pôr pros meus
filhos verem. É uma obsessão.

Eu lembro quando cheguei em casa de noite e disse
a ela que tinha terminado o projeto do livro, e ela
disse "Que Deus nos ajude", e nós bebemos Prosecco
e ela disse que eu podia ganhar meu presente de
aniversário adiantado. Era o corvo de plástico. Nós
fizemos amor e eu lhe beijei as escápulas e fiz ela
lembrar da história dos meus pais mentindo e me
dizendo que criança criava asas e ela disse "Meu
corpo não tem nada de ave".

Nós estávamos exatamente no meio, a anos do fim,
dando valor a tudo.

Eu quero estar lá de novo. Repetidamente. Quero
um abraço, e quero abraçar. Era o corvo de plástico.
Nós fizemos amor. A história das asas. Meu corpo
não tem nada de ave.
De novo.
      As asas.
          O amor.
             De ave.
De novo. Imploro tudo uma vez mais.

MENINOS

A gente brincava de um negócio chamado
Estrondo Sônico. A gente saía voando o mais rápido
pelo meio do pinheiral que nem se fosse uma bala
que passa entre as pessoas e apostava quem desviava
por último de cara pra uma árvore. A gente saía
voando o mais rápido pelo meio do pinheiral e aí
desviava, rolava de lado a milímetros da árvore,
gritando Estrondo sônico enquanto escapava.
Um dia eu provoquei o meu irmão. Disse que ele
não tinha coragem de ricochetear na árvore que
nem uma bala que raspa um ombro que foge. Eu fui
primeiro e voei firme e retinho bem pra cima de
uma árvore e Estrondo sônico no último momento
eu trisquei e minha asa estapeou o tronco, traque,
e eu zuni pela floresta (que nem bala que raspa um
ombro que foge). O meu irmão voou baixo demais
e rápido demais e não desviou, traque, um galho
pontudo furou-lhe o pescoço e ele ficou pendurado
ali crocitando "estrondo. estrondo. estrondo".
Isso é só meia-verdade.

PAI

Eles brincavam de ave, brincavam de leão. Tiveram
lá suas fases: dinossauros, caminhões, Thundercats,
kung fu, mentiras, esportes.

Era uma fronteira muito tênue entre o mundo
imaginário e o real, pra eles, e as pessoas falando
de mecanismos pra superar o trauma e de infâncias
normais e do tempo. Muita gente disse "Vocês
precisam de tempo", quando a gente precisava era de
sabão em pó, xampu antipiolho, adesivos de times
de futebol, pilhas, arcos, flechas, arcos, flechas.

Era uma fronteira muito tênue entre o mundo
imaginário e o real, pra mim, e as pessoas falando de
não trabalhar demais e de períodos de recuperação
e saudáveis obsessões. Muita gente disse "Você
precisa de tempo", quando eu precisava era de
Shakespeare, Ibn Arabi, Shostakóvitch, Howlin' Wolf.

Eu lembro que eles deixaram o chá pela metade e eu
catei gurjões de peixe mordiscados, ervilhas frias
e ketchup coagulado.

Eu lembro que eu disse "Eu vou jogar cada
brinquedinho de vocês no lixo!" e eles riram.

Eu lembro de ter medo de que alguma coisa, com
certeza, tinha que dar errado, se nós éramos tão felizes,
eu e ela, nos primeiros dias, quando o nosso amor ia
tomando a forma da nossa vida como massa de bolo
que ocupa os cantos da forma ao crescer e assar.

Eu lembro do meu primeiro encontro, aos quinze anos de idade, com uma menina chamada Hilary Gidding. Uma moeda caiu pelo encosto das poltronas do cinema e nós dois metemos a mão na estreita fenda felpuda das poltronas com caroços de pipoca e canhotos grudentos de ingressos e nossas mãos se tocaram, afagando o carpete, tateando, querendo a moeda, e foi elétrico. O pulso preso pelo estofado, o escuro, o acaso, a maravilhosa sujeira dos espaços públicos.

MENINOS

O Pai e o Corvo estavam lutando na sala de estar.
Porta fechada. Vinha um grave constante cauera scrá,
kaar, cauera scrá e o Pai dizendo Pare, Pare com isso,
kaar, kra, e corta, engasga e cospe, e xinga, escronca,
late, chora, um doido tom de gamelão de pedaços
de vozes paternas e bruscos chamados de ave, mais
baques e pios e mais rasgos, pontadas.

O Corvo surgiu, arrufado, estanhado. Ele
delicadamente fechou a porta ao sair e sentou com
a gente na cozinha.

Nós ficamos colorindo figuras do zoológico com as
canetinhas hidrocor e o Corvo fazia os contornos.

PAI

Eu lembro, ela fazendo força quando mandavam
fazer e a parteira jamaicana dizendo "Faz força,
minina, faz força". Ela disse "Eu não quero fazer
cocô", e eu ri e disse "Tarde demais". Aí veio o filho
um, coberto por um estranho creme fedorento,
faminto e pequeno.

Eu lembro, ela fazendo força quando mandavam
fazer e a parteira escocesa dizendo, "Nossa, olha uma
cabeça". Ela disse "Está doendo, caralho, caralho-
caralho, está doendo", e nós dois chorando e veio
o filho dois, roxo, berrando e flexível.

Ela é a sra. Laocoonte, de pé na praia de braços
cruzados, dizendo "Olha esses meninos, cacete",
e nós estamos cinco metros mar adentro, entre os
dentes da tristeza.

MENINOS

Às vezes a gente fala a verdade. É o nosso jeito de ser bonzinhos com o Pai.

PAI

Introdução: O pesadelo do Corvo Eu sinto saudade da
minha mulher
Cap. 1. ~~Perigos Mágicos~~ Eu sinto saudade da minha
mulher
Cap. 2. ~~Reino de Silêncio~~ Eu sinto saudade da minha
mulher
Cap. 3. ~~Trickster Imortal~~ Eu sinto saudade da minha
mulher
Cap. 4. ~~Desastre Afrodisíaco~~ Eu sinto saudade da
minha mulher
Cap. 5. ~~Tragicomédia~~ Eu sinto saudade da minha
mulher
Cap. 6. ~~O Bebê (Deus) no Lago~~ Eu sinto saudade da
minha mulher
Cap. 7. ~~A Canção~~ Eu sinto saudade da minha mulher

Conclusão: Recuperação e Crescimento Eu sinto
saudade da minha mulher

CORVO

Era uma vez dois homens adultos que eram irmãos um com o outro. Eram irmanados um com o outro, assim.

As solas das botas do maior estavam furadas aqui e ali. Quase um quilômetro depois de sair do vilarejo no Morro do Moinho ele ficou com as meias molhadas, grudentas, e mencionou a ideia de voltar para pegar botas melhores mas o menor seguiu andando.

"Fora essas, só tem as minhas botas velhas, e elas iam ficar pequenas em você."
  "Verdade."
  "As minhas botas de reserva são melhores que as tuas únicas."

Eles subiram a muito custo o morro íngreme escalando estreitas escarpas de giz como nadadores que vencem ondas e no topo pararam para contemplar o vilarejo bem acomodado na palma da mão do vale.

"Vai ser duro com essas botas de merda, irmão. A gente pode andar por pedras cortantes ou ter que pisar em ramos de espinheiro."
  "Acho que pode ser mesmo."
  "Aí vai ser duro, só estou dizendo isso."

O menor puxou e cuspiu uma esfera de catarro ocre no portão do moinho e xingou seu proprietário. O maior riu.

Eles desceram rápido pelo bosque de salgueiros que cobria o lado oposto do Morro do Moinho. Um teto de luminosos retalhos se erguia sobre eles e o chão escuro era todo rasgado de luz.

Um cervo saltou de um azevinheiro e o maior sussurrou "Oi, meu amigo".

O outro irmão fez uma arma com a mão e gritou "CABUM" e um faisão assustado decolou apressado para o verde neon, rindo baixo.

Interpretação de Texto:

- Você acha que os irmãos deste trecho são realistas?
- A ambientação rural da história muda a sua maneira de se envolver com os personagens?
- Se as botas são uma metáfora da capacidade de lidar com o luto, quem você acha que morreu?
- Escreva o parágrafo seguinte do conto, concentrando-se nos temas de homem contra natureza, botas, irmãos e a Revolução Russa.

MENINOS

Ela morreu espancada, uma vez eu disse pra uns
 meninos numa festa.
Ah, que merda, rapaz, eles disseram.
Eu minto sobre a sua morte, eu sussurrei pra
 Mãe.
Eu faria o mesmo, ela sussurrou em resposta.

PAI

Eu lembro, ela fingindo que gostava mais do que
gostava de verdade de ver cerimônias de entrega de
prêmios só porque isso me deixava surpreso, mas aí
eu dizia a ela que essa ou aquela cerimônia estava
passando e a gente tinha que ficar vendo. Vamos pra
cama, ela dizia, a gente nem sabe direito quem são
essas pessoas.

Vencedores, eu disse. Cada filho de uma puta feio
oco e com cara de cu.

E lá íamos nós pra cama.

Tem dias em que me dou conta que ando
esquecendo coisas básicas, aí corro lá em cima, ou lá
embaixo, ou onde for e digo "Vocês têm que saber
que a Mãe de vocês era a pessoa mais engraçada
e mais maravilhosa. Ela era a minha melhor amiga.

Era tão sarcástica e carinhosa…" e aí eu perco
o embalo porque tudo me parece tão grosseiro, tão
preguiçoso, e eles concordam com a cabeça e dizem
"A gente sabe, Pai, a gente lembra".

"Ela ia me chamar de sentimental."

"Você é sentimental."

Eles me oferecem um lugar ali com eles no sofá
e a dor de eles serem tão naturalmente bons lembra
apendicite. Eu preciso me dobrar em dois e me
conter porque eles são tão bonzinhos e continuam
regenerando e recarregando essa bondade, sem
auxílio meu.

CORVO

Tente considerar todos os três, em um, antes de
nos aproximarmos. A está para B como C está para
A mais B menos C. Lindo. Olhe de novo, isso mesmo,
passe. Agora da esquerda pra direita? Isso. Agora
da direita pra esquerda. Isso. Agora passe por todos
eles por um Um Dois Três? Agora absorva os três ao
mesmo tempo. Agora de novo, Um Dois Três? E...
absorva. Ok, vamos entrar:

À esquerda nós temos o pai. Essa imagem ocupa
a posição funcional do vamos-lá, do o-quê, o que
eu gosto de ver como George-Dyer-na-privada,
o margem-esquerda, o içamento, o ponto de
educação, a igreja vazia, o degrau de tortura, o painel
da dor, o musculoso.

No meio, euzinho. Nesga negra emplumada e fedor de
morte. Tadá!! Este é o cerne apodrecido, o Grünewald,
os cravos nas mãos, a agulha na veia, o trauma,
a bomba, a coisa depois da qual não se escrevem
mais poemas, a porta que bate, o *in-principio-erat-
verbum*. Bem mas-qual-é. Bem esporte-violento. Bem
histórico-universitário.

Mas não pare de olhar. O tríptico trata de formas de
nunca parar. É cultura. À direita temos os meninos.
Duas formas, mas um só contorno, podia ser mulher,
podia ser homem, mal podemos decifrar as quatro
perninhas e braços (o vitelo recém-nascido do painel da
direita!) e rostinhos minúsculos plenos de esperança.
E súbito fazem sentido os outros painéis, isso é pura

matemática, isso é lógica antiga. Isso é natureza. Isso é o que eu chamo de decolagem, estilo maduro, dez anos de ida pra casa, a flecha pelo olho, a fuga. Bem pôr do sol. Bem bardo. Bem pungente.

MENINOS

A Mãe vivia pegando no pé de nós três
por sujar o espelho de pasta de dente.

Por alguns anos a gente espirrou e cuspiu
e escovou em excesso e o nosso espelho ficou
uma zona de manchas brancas e a gente tinha
um estranho prazer com aquilo.

Um dia o Pai limpou o espelho e nós todos
concordamos que ficou genial.

Várias outras coisas passavam. A gente mijava
no assento. E nunca fechava as gavetas. A gente
fazia essas coisas pra sentir saudade dela,
pra ficar querendo ela de volta.

PAI

Óleo, quando você olha mais de perto lama, quando
olha mais de perto areia, quando prova o gosto, limo
sendo linda seda.

Eu tinha tanta saudade dela que queria construir
um memorial de trinta metros de altura com as
mãos nuas. Queria vê-la sentada em imensa cadeira
de pedra no Hyde Park, admirando a paisagem.
Todo mundo que passasse ia poder compreender
o quanto eu sinto saudade. Como é física a minha
saudade. Minha saudade dela é tanta que é imenso
príncipe dourado, uma sala de concertos, milhar de
árvores, um lago, nove mil ônibus, milhão de carros,
vinte milhões de aves e mais. A cidade inteirinha
é a minha saudade.

Urgh, disse o Corvo, você soa como um ímã de geladeira.

MENINOS

Na grama crescida eu descobri trilhas comprimidas,
quem sabe eram do meu irmão, então eu sussurro
"Mano, você está aqui?" e os adultos que passam nos
veem, a um metro um do outro, mas estamos em
catedrais infinitas, imensas.

O Corvo ri baixinho. "Estou aqui, não me enxerga,
Eu sou veeeerde!"

PAI

Eu disse ao meu melhor amigo, Ela ficava irritada
comigo quando eu ficava um dia mais pra festa do
time de futebol no fim do semestre, porque a gente
ia pegar o trânsito todo do feriado. O meu amigo
disse, Você tem que parar de pensar assim, a respeito
dela. Existe o luto e existem obsessões impraticáveis.

Eu tinha uma obsessão impraticável por ela antes, eu
disse. Você está conversando com algum profissional?
ele disse. Pra falar dessas coisas?

Estou, eu disse.
E a pessoa é boa?
Muito boa.

Eu quase ri, de pensar no Corvo num escritório, no Corvo bicando um recibo, Corvo recomendado por um médico, ou cadastrado no sistema de saúde. O Corvo comentando Winnicott, sacudindo a cabeça, mas tendo que admitir que prefere Klein.

Sim, eu disse ao meu melhor amigo. Não precisa se preocupar, eu estou contando com ajuda.

MENINOS

Mais ou menos quando a Mãe morreu teve um furacão e muitas árvores caíram. No bosque de faias perto da casa da Vó ficaram várias árvores semiderrubadas, apoiadas diagonalmente nas que ficaram de pé.

Eu subia, bem altão, até o meu peso fazer a árvore caída escorregar e eu despencar lá de cima. Às vezes em macios berços acolchoados de folhagem, às vezes em ninhos de ramos cortantes. Meu irmão berrava CARNE MORTA!

Não lembro se essa brincadeira foi ideia do meu irmão, ou do Corvo.

O Pai veio pegar a gente no bosque no fim da tarde e disse "Você está sangrando. Cacete, você está sangrando por tudo". Eu estava amortecido de frio e os arranhões formigavam e o Pai disse pro meu irmão pensar bem sério sobre o seu comportamento.

CORVO

Esta aqui é verdade:

Era uma vez um demônio que comia sofrimento.
O delicioso aroma do choque puro e da perda
inesperada soprava das portas e janelas do triste lar
de um viúvo.

Portanto o demônio foi dar um jeito de entrar.

Era de noite e os bebês estavam limpos e
o marido lhes contava histórias quando veio
uma batida na porta.

Ratatá. "Abram, abram, sou eu, lá do 56. É...
É o Keith. Keith Coleridge. Eu estou precisando
de um pouco de leite."

Mas o razoável pai sabia que não havia número 56
na ruazinha calma, então não abriu a porta.

Na noite seguinte o demônio tentou de novo.

Ratatá. "Abram, abram, eu sou da Parenthesis Press.
É o Paul. Paul... Toomba. Eu ouvi o noticiário. Estou
arrasado por ter demorado tanto pra vir visitar.
Eu comprei pizza e uns brinquedos pros meninos."

Mas o atento pai sabia que havia um Pete da
Parenthesis e um Phil da Parenthesis, mas nunca
houve Paul da Parenthesis, então não abriu a porta.

Na noite seguinte o demônio correu para a porta,
com luzes azuis e barulho.

Ratatá. BANG. BANG. "Abram! Polícia!
Nós sabemos que vocês estão aí, é uma emergência,
vocês têm cinco segundos pra abrir a porta ou
nós vamos derrubar."

Mas o experiente enviuvado conhecia um pouco a lei
e pressentiu a mentira.

O demônio foi embora e ficou pensando o que fazer.
Era tabloidemente vil, então pensou num plano
poderoso.

Ratatatá. Toc. Toc. Toc. "Meninos? Sou eu. É a Mãe.
Querido? Você está aí? Meninos, abram a porta,
sou eu. Eu voltei. Meu amor? Meninos? Me deixem
entrar."

E os pequenos arremessaram desesperados os
edredons, passaram as perninhas pela beira da cama
e desceram a escada correndo. O fundo de seus
perplexos corações infantis estava cheio de desejo
e eles formigavam, corriam aos saltos rumo ao antes,
antes, antes disso tudo. O pai, embriagado pela voz
da amada, desceu veloz atrás deles. O som da voz
dela era penetrante, como uma fome atada à lua que
se erguesse em cada poro cru, vazio, desconsolado,
desfazendo-se, delicioso desfazer-se.

"Já vamos, Mãe!"

O amigo e hóspede deles, que era um corvo,
parou os três à porta.

Meus amores, ele disse.

Meus queridos, meus tristes amores. Não é ela. Voltem
pra cama e me deixem cuidar disso. Não é ela.

Os meninos sopraram de novo pra cima um
amassado pai de papel crepom, com um sob cada
braço para guiar sua ausência de peso, e o puseram
para dormir. Então sentaram-se à janela olhando
para baixo e vendo o que acontecia e gostaram
muito, pois meninos são assim.

O Corvo saiu, sorriu, farejou o ar, deu boa noite
com a cabeça e fechou a porta com um chute atrás
de si. Então o Corvo demonstrou ao demônio o que
acontece quando um corvo expulsa um intruso do
ninho, havendo filhotes no tal ninho:

Um KRONK estrondoso, um salto, batida no chão,
uma dança distraída, um HONK, rodopio e arranque,
como um disco que se quase arremessa mas não
solta conduzido anatomicamente fixo e explosivo,
bico lançado, duro, martelado, contra o crânio do
demônio com estalo, com jorro, depois enfiado por
ossos, por cérebro, fluidos, membrana, na espinha
que esguicha, entre vértebras partidas, nas vértebras
migalhas, vértebras mascadas cuspidas e um-dois-
três-quatro-cinco até lá embaixo veloz como piranha,
triscando, corando, desmontando a matéria demônia,
manchando de sangue e de gosma medular e merda

e mijo, desemaranhando entranhas, estirando
ligamentos e nervos por tudo espaguete animado
lã embrulhada martelo, e garras, e rasgos, cortante,
lambente, arrotante, francamente adorando a jornada
de causar dor, e dor e dor, para o Corvo era como
um lindo cesto cheio de papéis de fritas e sorvete
e de salsicha e filhotes de piscos e tudo quanto é doce
terrível, fisicamente revigorante como um vento
oeste nas charnecas, como olmo de castelo pula-
pula sob a brisa, como antigos prazeres da família
das espécies profundas. E o Corvo se vê empolgado
numa poça de gosma, cuidadosamente revirando
e cutucando restos de demônio rumo a um ralo.

Missão cumprida, o Corvo caminha orgulhoso,
aos saltos pela rua, lançando alertas enquanto os
meninos de pijamas aplaudem e comemoram —
silentes-trás-vidros — da janela do quarto. O Corvo
lança alertas à cidade à larga, alertas em versos,
alertas em muitos idiomas, alertas com bordas
sangrentas, alertas com humor, alertas com dança
e ameaças subgraves e trocadilhos de vodu e uma
espetacular feiura anciã.

Satisfeito com sua defesa do ninho, o Corvo sai à toa
em busca de comida.

PAI

Que piada ruim, sonho ruim, poema ruim,
tão diferente, esse cor

cor

cor

cor

cor

t e, po, r if eu, tejo.

Corh

Cohr

chor

a

ndo

MENINOS

Ele era jovem e bom e às vezes engraçado. Era
calado depois ficava enfurecido depois rancoroso
e estranho, depois ficou obcecado e teve visões
e escreveu, escreveu, escreveu.

Venham aqui dar uma olhada, o Corvo disse.
Parece que o Pai de vocês morreu!

Nós entramos sorrateiramente e o quarto cheirava
a rato podre e havia cinzeiros em cima do edredom
e garrafas pelo chão. O Pai estava estendido com
um brinquedo quebrado e a boca dele era um cinza
frouxo e desmontava como bolo desandado.

Pai, você morreu?
    Pai, você morreu?
    Um longo peido gemido em resposta e o Pai
esperneou.
    Claro que não morreu, sua mula, disse o meu irmão.

Eu nunca falei que tinha morrido, eu disse.
Ups, disse o Corvo.
Eu não morri, disse o Pai.

PAI

Caro Corvo,

Hoje eu fiz um desenho que me deixou bem orgulhoso. É um desenho de você, sentado numa cadeira, com um fantoche do Ted. Na sua frente está o Ted, sentado numa cadeira, com um fantoche de você. Ficou parecidíssimo!

O Corvo fantoche do Ted tem um balão. O fantoche de Corvo está dizendo "TED, VOCÊ FEDE QUE NEM UM AÇOUGUE".

Acho que você ia adorar.

MENINOS

O Pai contava histórias e as histórias mudaram
quando o Pai mudou.

Eu lembro de uma história sobre um caçador de
ratos. O caçador de ratos pregava os rabos dos
ratos mortos na cabeceira da cama, um, dois, três,
quatro, cinco. O caçador de ratos matou o rei dos
ratos e todo mundo sabe que um rato rei só morre
se você ferve o coração dele. Enquanto o caçador
dormia o rabo do rato rei se soltou da cabeceira
e saiu percorrendo a fileira trançando os rabos
dos amigos mortos pra fazer uma forca e eles
esganaram o caçador de ratos. Caçador de ratos,
rato, disse o Pai, o que é que vocês acham dessa?

O Pai contava histórias e as histórias mudaram
quando o Pai mudou.

Eu lembro de uma história sobre um escritor
japonês que caiu na própria espada que era tão
afiada que cortava sangue e saiu limpinha das
costas dele.

Eu lembro de uma história de um guerreiro irlandês
que matou o filho por engano mas quando percebeu
ele não se incomodou muito porque o filho bem que
merecia.

PAI

Tem um pedaço do balcão da cozinha onde eu me encosto enquanto os meninos comem cereal. É um pouquinho distante do pedaço do balcão da cozinha onde a minha mulher se encostava.

ESTÁ MUITO PESADO, NÃO TEM COMO DIZER QUANTO TEMPO VAI DURAR MAS NÓS TEMOS MUITO MEDO POR CAUSA DAS PESSOAS QUE ESTÃO PRESAS NA CIDADE.

Os meninos ouvem as notícias. Eles precisam saber. Eu falo muito de guerra.

Perda e dor no mundo são inimagináveis mas eu quero que eles tentem.

CORVO

Notas para minhas memórias literárias de estilo idiossincrático, se eu puder:

Eu adorava esperar, no meio da tarde, sozinho na casa deles, que eles voltassem da escola. Reconheço que podia ser acusado de mostrar sintomas relacionados a fantasias maternais não realizadas, mas eu sou um corvo e nós fazemos muita coisa no escuro, até brincar de Mamãe. Eu só ficava dando umas bicadas, olhando isso, olhando aquilo. Erguendo uma ou outra meia ou peça de quebra-cabeça. Eu fazia uns cocozinhos mirrados nuns lugares que sabia que ele nunca ia limpar.

A primeira coisa que eu ouvia eram os agudos contracantos entrelaçados e os trinados de conversas, cantoria e alegria. Os meninos. Podia vir um baque quando eles trombavam contra a porta da frente, e depois uma pausa de tomar fôlego enquanto o Pai vinha atrás. Ele abria a porta e com um estalido o apartamento se enchia de barulho, Tirando os Sapatos, Largando as Mochilas Por Favor, Não deixe isso aí, eu disse Não, deixe, isso aí, vamos, chip tchop tchip chop escada acima.

Homenzinhos cansados têm uma pose preguiçosa que é linda, eles rolam e se largam e desmontam no interlúdio antes de começar a procurar comida ou diversão, e eu ficava sempre tomado por um atípico otimismo e uma empolgação quando via os dois se espreguiçarem relaxados no poleiro. E açúcar!

À tarde quando ele dava um doce, ou eles escalavam o armário e roubavam — como corvos — o estoque do pai. Se você não observou filhotes humanos depois de grandes quantidades de açúcar, você tem que observar. Eles ficam altos e perturbados, hilários, por coisa de uma hora, e aí desmoronam.

A semelhança com filhotes de raposa embriagados de sangue é impressionante.

MENINOS

A gente catava os elásticos que o carteiro derrubava.
A gente pensou em fazer uma bolona gigante.
A gente desistiu.

A gente fez bases, acampamentos, covis, abrigos, fortes,
bunkers, castelos, casamatas, túneis e ninhos.

Ficamos vendo Londres e Londres oferecia mães
possíveis de calças jeans e camisetas listradas, Ray-
Bans, então a gente percebia cada uma e gostava
da perversa autoflagelação insensível que isso tudo
representava. Empinamos o nariz pra uma babá que
disse "Como é que vocês conseguem rir disso, de
uma coisa tão triste?".

A gente se equilibrava no encosto do sofá
e mergulhava no carpete e o Pai gritava Vocês acham
que isso aí não machuca o joelho mas machuca sim
e quando vocês estiverem com a minha idade vão
ter sérios problemas nos joelhos, tá?, e eu não vou
ficar empurrando vocês num carrinho que nem uns
mendigos tristonhos e se vocês acham que é mentira
deviam era ver os joelhos da vó de vocês, destruídos,
parece uma foto aérea de um campo de batalha, ela
mal conseguia ajoelhar, por causa do desrespeito
pelas articulações na infância, balé, basicamente, mas
pular de sofá também, e aí eles cortaram os joelhos
dela, isso foi antes das cirurgias a laser, e se vocês
não acreditam em mim podem

A gente deixou de ouvir e continuou pulando.

Depois da chegada das cirurgias a laser mas antes
da puberdade, antes do constrangimento, antes
do ensino médio, antes do dinheiro, do tempo
ou do gênero sexual dar a sua dentada. Antes
de a linguagem ser uma armadilha, quando era
labirinto. Antes de o Pai ser um homem nos últimos
trinta anos de vida. De verdade, pensando bem,
a melhor hora possível pra você perder uma mãe.

PAI

"Essa eu te conto de graça", disse o Corvo.

"Hmm." (Eu tentando trabalhar, tentando alimentar um pouco menos a ideia do Corvo depois de ler um livro sobre alucinações e psicose.)

"Se a sua mulher é um fantasma, então ela não está uivando nos armários e pelos cantos da casa, não está largada por aí lamentando a perda da posição materna ou a dor lancinante de ficar vendo vocês viverem sem ela."

"Não?"

"Não. Vai por mim, eu entendo um tanto de fantasmas."

"Vai em frente."

"Ela vai estar bem lá atrás, antes de vocês. Vai estar na aurora da vida, na infância querida. Os fantasmas não assombram, eles regridem. Sabe quando você tem que dormir e fica pensando em árvores ou num gramado? Você está imediatamente se refugiando numa iconografia pré-fabricada de segurança e satisfação anteriores. É bem pra esse lugar que os fantasmas vão."

Eu olho pro Corvo. Nesta noite ele é Polifemo e tem somente um olho, uma brilhante bola-oito de couro. "Anda, então. Conta."

"Sério?"

"Por favor."

"Eu não sou macaco de circo."

"Conta."

"Está mais pra um cheiro, ou uma lembrança sinestética, mas é mais ou menos assim..."

Ele fica imóvel. Seu pescoço deixa de se projetar, seu bico para de estocar o ar. Pela primeira vez desde que chegou ele deixa de sugerir uma constante prontidão à violência em sua postura.

Fica mais imóvel do que eu jamais vi um animal não-empalhado ficar. Cadavérico.

"Certo... p p p, isso, espera lá, parabum parassaurolofo olha com a mãe espia e casamentos aguenta lá, ignore essa parte, vamos nessa...

Brincadeiras! Prédio da Cruz Vermelha, piso de parquê, keds. Brownies. Bolinho de chuva.

Goiabinha. Concursos de dança.
Goiabinha. Colchas de Retalhos para
Iniciantes. Tinta invisível.
Pega, quer dizer, mãe-cola, você sabe. Balança de pneu. As mãos imensas do pai dela.
Poças de maré (Yorkshire?). Catar siri, redes, sardinhas, se esconder, esperar.
Adição (ábaco? contas?).
Cama elástica/balas de anis/ovos pintados.
Aparas de lápis apontado? A Terra dos Sonhos,
Robert o... alguma coisa, Robert o Cavalo Rosa?"

Nós ficamos ali em silêncio e eu percebo que estou sorrindo. Eu reconheço certas coisas. Acredito nele. Acredito absoluta e encantadamente nele e tudo parece muito familiar.

"Obrigado, Corvo."

"Tudo incluído no serviço."

"Sério. Obrigado, Corvo."

"De nada. Mas por favor não esqueça que eu sou o canto-lenda do seu amigo Ted, Corvo do arrepio da morte, por favor. O filho da puta de uma bomba matemática que come deuses, lambe lixo, assassina palavras, profana carcaças, e coisa e tal."

"Ele nunca te chamou de filho da puta."

"Sorte a minha."

MENINOS

Era uma vez dois meninos que de propósito
lembravam errado certas coisas sobre o pai. Isso fazia
eles se sentirem melhor quando esqueciam certas
coisas sobre a mãe.

Havia muitas equações e transações naquela
pequena família. Um menino sonhou que tinha
assassinado a mãe. Foi ver se não era verdade,
e então pôs no lixo uma valiosa colher de prata
que seu pai tinha herdado. Fez falta. Ele se sentiu
melhor.

Um menino perdeu o precioso bilhete de "boa sorte"
que a mãe pôs na sua lancheira. Ele chorou, sozinho
no quarto, e depois jogou um carrinho de brinquedo
no pôster emoldurado de Coltrane que era do
pai. Estilhaçou. Ele se sentiu melhor. O pai varreu
devidamente os cacos e compreendeu.

Havia muitos castigos e expectativas naquela
pequena família.

PAI

Os meninos brigam.

MENINOS

O frio despertou um deles, então ele acordou
o outro dizendo O PAI FOI EMBORA, e o outro
concordou. A mãe tinha ido — tinha ou deitado na
neve e morrido dormindo ou sido levada por lobos
— então eles entendiam um pouco dos cheiros
e sons de uma casa quando um dos pais vai embora,
e tinham razão, o pai tinha ido embora.

Talvez, disse um dos meninos, ele volte, e o outro
menino bagunçou seu cabelo e sorriu com os olhos
porque não, ele não ia voltar. Um pai que foi embora
é pra sempre um pai que foi embora.

Então eles cantaram a musiquinha da arrumação
enquanto andavam por tudo, guardando coisas,
e vestiram todas as roupas que tinham, ficaram
parecendo bem mais gordos do que eram, e saíram.

Caminharam por três dias, dormindo só quando
rolavam morro abaixo, pra nunca ficarem parados.
Perderam o corpo infantil e criaram barba e foram
tirando camadas de roupas e no quarto dia, quando
nasceu o sol, eram grandes homens nus.

Olha como você ficou, um disse ao outro. Olha
como ficou o nosso pipiu, disse o outro ao seu
irmão.

Chegaram a um pequeno chalé e bateram na porta.
Assim que a lindíssima mulher veio abrir eles
perceberam que não estavam prontos para a ideia

de ela não ser uma mãe, então correram para casa,
pim pim piu, morro acima, atravessando a floresta
congelada, entraram na casa, escada acima, já
pra cama — olhos bem fechadinhos — e quando
acordaram seu pai preparava o café da manhã.

PAI

Nós fomos a uma Mostra de Aves de Rapina em Pleno Voo. Num campo aberto. No meio do mato em algum lugar, com meia dúzia de velhotes queridos e o guia ruivo e gordinho com um microfone sem fio, e a gente de fone; "e lá vem ela, a estrela do show".

A primeira ave era uma águia careca, impressionante, imensa, com uma envergadura de quase dois metros. Uh, nossa, nós dissemos. Uh, nossa. Os meninos ficaram fascinados.

"Agora vejam que ela está decidindo se vai ou não até o AH-UPALALÁ, LÁ VAI ELA, sobe, sobe, LÁ EM CIMA, MENINA, muito bem, MINHA MENINA!"

E ela planava. *Pairava*. Pairávamos nós.

Os meninos estavam agarrados às cadeirinhas de plástico e o artifício situacional de uma ave cativa realizando um espetáculo se desmanchou e fiquei simplesmente empolgado com a águia careca. O esplendor físico da águia.

"Ah, agora você veio pra cá, e quem é aquele carinha ali? Ai, jesus cristinho, vem cá que eu já te como, desculpa os termos, pessoal. Como é primavera o corvo carniceiro aqui do campo está protegendo os ovos, como vocês também fariam se tivesse uma porcaria de águia por perto, E OLHA ESSA! Aquele ali, senhoras e senhores, é um filho de uma puta pra lá de corajoso. Aquilo é um corvo, SURFANDO NUMA ÁGUIA CARECA!"

Eu olhei de lado e os meninos tinham se dado as mãos, sozinhos.

"Senhoras e senhores, eu lhes apresento a porra de um milagre da natureza. Ou seja, duas aves basicamente demonstrando uma porrada de respeito uma pela outra. Você pode ser pesada pra caralho, ter umas quarenta vezes o meu tamanho, mas se tu chegar perto da merda dos meus ovos eu já te ensino umas coisinhas desse negócio de voar!"

Nós três saltamos imediatamente de pé. Aplausos de todos. "MANDA VER, CORVO!" nós gritamos.

"E por que não", disse o enrubescido amante de pássaros, nosso chapa, nosso guia, "E por que não, cacete. MANDA VER, CORVO!"

Manda ver, corvo. Manda ver, corvo.

E aquele foi provavelmente o melhor dia da minha vida depois que ela morreu.

MENINOS

Era uma vez um rei que tinha dois filhos. A rainha
tinha caído do alçapão do sótão e quebrado a cabeça
e como os criados do reino estavam ocupados
lustrando esculturas para o rei, ela morreu de
hemorragia. O rei vivia ocupado na vã tentativa de
quebrar feitiços e prevenir pequenas guerras. E era
assim que os pequenos príncipes brigavam.

Eles estapeavam. Um soquinho, um murrinho.
O príncipe mais novo, baixinho e gordo (chamado
de Ivan, o Preguiçoso, ou Besta Culpada, ou
Lobo Guloso) puxava a cadeira e fazia o irmão
se estabacar no piso frio de mármore. Rasteiras,
primeiras topadas, patadas.

Então, como sentiam falta da mãe, mais e menos,
as brigas foram ficando melhores, piores. O bonito
(chamado de Príncipe Daqui-a-Pouco, ou Águia
À-Toa, ou Cervo Faminto) ajoelhava no irmão sobre
a carne molinha debaixo do braço, e esfregava
o joelho no músculo que escorregava. Eles se
deitavam em extremos opostos dos bancos da sala
do trono e chutavam chutavam chutavam chutavam
chutavam até que o seu irmão que chorava aos
soluços pedisse piedade, mais forte.

Então se morderam. E tentaram se afogar. Então
tentaram queimar o cabelo um do outro. Eles se
ataram, torceram-se os pulsos, trocaram chás de
cuecas, cuspiram.

Então encontraram um livro de venenos e se revezaram causando-se náusea. Então enforcaram-se mutuamente. Então esfolaram-se vivos. E se crucificaram. Meteram pregos enferrujados no crânio um do outro.

Um dia o rei, que calhava de estar passeando pelo labirinto do palácio, topou com seus filhos ensanguentados armados de balestras, ambos consumidos por uma volúpia assassina.

"Meus lindos vitelos, meus espevitadinhos, por que brincar desse jeito?", perguntou o rei.

"Porque sentimos tanta falta da nossa mamãe", os menininhos cantaram a uma só voz.

O rei urrou gargalhadas e bateu na barriga suína esticada.

"Meus diabinhos adorados, vocês precisam aprender tanta coisa sobre o que significa ser rei. A rainha era tão mãe de vocês quanto era minha. Só deus sabe qual rapariga dessas aí do corredor cuspiu vocês no mundo, mas podem apostar que não foi aquela amiga-de-uma-amiga que eu chamava de Rainha."

Então os meninos, bem aliviados, trocaram um aperto de mãos e acabaram virando reis muito bem-sucedidos, de reinos grandes, lucrativos.

CORVO

Crico com craco, pulofungo e teagarro, trazendo
esse lixo, cantando pro bicho.

Uma vez eu perdi uma esposa, e uma vez é quanto
um corvo pode perder uma esposa. Ah, facas. Acabei
de lembrar um negócio.

Ele voou via genuflexão de Tintagel—Carlyle
passando por Morecambe—Orford, bem doudo,
tentando se envenenar com framboesas proibidas
e lindas igrejas, mas o lixo das ruas da Inglaterra
o salvou. Linhas de Ley o jogaram por todo o país
sem ter tempo pra dor, cabos elétricos catapultaram
frouxos buquês de ossos negros como asfalto e de
penas, e outros corvos caíram choventes do céu,
tempestade de corvos morridos, chuveiro de penas
da empena do outeiro, mas nosso corvo bicou
e picou latinhas de refrigerante e camisinhas salgadas
e cigarros mentolados, e a borrasca de fogo passou-
lhe por sobre a cabeça, como a história escrita por
sobre a classe operária. Amora, groselha, mirtilo,
abrunheiro. Ameixa, pera, maçã da azedinha,
hematomas. Coágulos, muco, tumores, marmelo.

Ele olha uma poça de óleo e vê que o seu bico tem
cores fortes, listradas de rubro, de verde, de roxo
e laranja. Parece uma porra de um papagaio-do-mar.

Abre a boca para gritar e sai linda ária inglesa, como
de um melro ou da porra do Ivor Gurney.

Esse é outro dos pesadelos do Corvo.

MENINOS

Era uma vez o dia em que o nosso Pai foi de ônibus
até Oxford pra ouvir o seu herói, Ted Hughes,
dar uma palestra. Isso foi quando o Ted Hughes
estava grisalho e quase morto e o Pai tinha recém
se formado. Ele nunca tinha ido a Oxford e ficou
chocado porque lá tinha umas lojas normais,
McDonald's e tal. Ele não acreditou quando viu uns
baderneiros chutando lata na rodoviária. Ele achava
que ia ver só catedráticos refletindo sobre coisas.

Ele chegou três horas adiantado, então comprou
uns discos numa loja que andava na moda. Ele
comprou uma coisa que não queria porque ficou
com vergonha e não quis corrigir o cara do balcão.
Entrou num bar e bebeu dois canecos de Guinness
e fumou um cigarro atrás do outro. O nosso Pai era
calado, arisco e romântico, e dava pra você fumar
nos lugares daquela época.

O nosso Pai ficou desencantado com o tamanho
e a modernidade de Oxford. Ele tinha pensado que
podia topar com o Ted, ou com Peter Redgrove,
antes da palestra. Aí ficou com vergonha da própria
ingenuidade e tomou um terceiro caneco. Ele estava
lendo Osip Mandelstam e sublinhando e dobrando
páginas, copiando trechos num caderno. Tinha
suposto que o bar estaria cheio de jovens pensadores
fazendo bem assim, mas o bar estava vazio, fora um
sujeito com uma camisa dos Spurs e um beagle.

O nosso Pai estava num barzinho de merda bem
grudado na rodoviária.

Ele tinha opiniões pra lá de atuais sobre Hughes
e Plath. Uma dessas opiniões é que chegava daquilo.
Era hora de parar com aquela merda e avaliar
a poesia sem essa brigarada por causa de cada lado da
biografia. Ele era pró-Ted, o nosso pápis. No ônibus
pra Oxford ele tinha imaginado vigorosas discussões
num bar com paredes cobertas de madeira, com um
bando de admiradores de Plath. "Tá bem, Tá bem,
nós vamos aceitar *River*", eles diriam. "Maravilha",
o Pai diria, "Eu vou dar outra chance ao *Colossus*."

Falando sério, sem brincadeira, o nosso Pai era
autêntico. Calado, arisco e tragicamente não-
descolado. A gente tinha que rir da cara dele
o máximo possível. A gente tinha certeza que era
o que a nossa Mãe ia querer. Era o melhor jeito de
a gente amar o Pai, e agradecer.

Ele ganhou uma bebida grátis com a entrada.

Ele guardou a entrada e ela ainda está lá na pasta
dele sobre o Ted.

Ele sentou no meio do auditório.

Ficou esperando o seu herói.

(Sujeito grandalhão com um livro capa dura todo
marcado e seboso, provavelmente uma jaqueta
impermeável, talvez até com um cheirinho de
fazenda de Devon ou uma mancha de tripa de
salmão no bolso. O icônico topete ficou ralo e fino,
o Pai sabe, mas como estará o cabelo? Um elegante
raspado de poeta laureado, quiçá? E será que vai

ser só falação sobre Shakespeare, ou vai ter um poeminha ou dois? Um poeminha novo ou dois, Ted? Pros seus admiradores mais jovens? Pros rapazes que te colocam ali, junto com Donne e Milton?)

O Ted, quando chegou, parecia meio virado.

A palestra transcorreu em meio à névoa da reverência. Ele nunca lembrou grandes coisas, a não ser o fato de que a fala foi muito, mas muito centrada em Shakespeare, e que um dos outros membros da mesa era hostil ao Ted.

Era hora das perguntas e o nosso Paizinho de dezoito anos de idade já estava com aquele rubor fervente do pescoço pra cima e com as mãos suadas de um admirador louquinho pra fazer uma pergunta. Lá no fundo, uma pergunta sobre Caliban e o imperialismo. Sim, minha senhora ali no canto, uma pergunta sobre resenhas negativas. Sim, meu senhor aqui na frente, uma pergunta sobre a Sylvia, que recebeu um suspiro da plateia alfabetizada em Tedismos, e um educado "não é relevante" do presidente da sessão. Aí, mas que alegria, Sim, meu rapaz ali no meio.

O Pai levantou, o que foi engraçado porque ninguém mais tinha levantado. A gente dá uma risadinha por causa da levantada.

A pergunta dele foi muito comprida e muito franca, e saiu meio embrulhada, mas era sobre a guerra nuclear, e a censura, e a poluição, e o rei Jaime I. Ted concordou com a cabeça, sorriu, concordou com

a cabeça, e o presidente disse "Obrigado, perfeito,
mais um ensaio que uma pergunta, mas muito
obrigado. Infelizmente o nosso tempo acabou".

O Pai sentou com um baque doloroso nos ossos
búndeos, roxo, lágrimas formigando.

Parece que uma vez a Mãe chorou quando ele
contou essa história, mas espera! Espera! nós todos
gritamos. Espera, Pai, seu bocó ridículo! Você não
acaba humilhado pelo presidente! É por isso que
a gente te ama e ri de você. Tem um epílogo feliz.

Enquanto o nosso Pai ia saindo, arrastando os pés,
uma imensa mão poética lhe cai sobre o ombro
e o bordão-de-vinte-braças-submarinas do seco
estrondo lindo do cálido sotaque de York de Ted
Hughes envolve nosso feliz Papai.

"Sim", disse Hughes, olhando bem nos olhos do Pai.
"Sim?", disse o nosso Pai.
"É sim", disse Hughes, e se afastou.

E o nosso Pai esqueceu o que tinha perguntado,
e Ted Hughes morreu, e a nossa Mãe também, e o meu
irmão me conta diferente a história de Oxford.

terceira parte

PERMISSÃO PARA PARTIR

CORVO

Essa é a história de como a sua mulher morreu.

PAI

Já tirei isso da cabeça. Eu não quero ouvir.

CORVO

Mas a questão é bem essa. Ela bateu a cabeça.

PAI

Corvo, sério, não se incomode. Eu sei. Eu não
preciso saber.

CORVO

Ora quem diria.

PAI

Caro Corvo,
    Uma vez você se pôs do lado da minha cama
e falou com a voz de um pássaro negro e disse
pra eu nunca mais casar de novo, pra lacrar o coração
e atar o pau. Nós, os corvos, somos monógamos,
você disse, e me deu soquinhos na testa com esse
teu bico pontudiagudo.
    Aí, depois, você se pôs do lado da minha cama
e me contou a história do Ted. Você falou com a voz
de um professorzinho de Yorkshire e me disse pra
voltar pra estrada, achar uma mulher, botar ordem
nas minhas ideias, pensar nos meninos. Manda brasa,
você disse. Você devia era juntar os trapinhos com
uma moça bacana que goste do som da palavra
"Madrasta". Rala e rola. Eu joguei o acolchoado pra
fora da cama e esperneei e te bati e te cuspi mas você
não estava ali e eu tive que pegar no sono amassado
entre o que você tinha dito e o que eu pensei.
Nada de sono.
               Gumes afiados.
                       Mau hálito.

MENINOS

Uma vez a gente estava desenhando na mesa da cozinha e o Pai disse, "A gente nunca pode deixar de lembrar a importância de Picasso", e o meu irmão disse, "Pirambaba, Pai!" e o Pai quase passou mal de tanto rir.

A gente maltratava ele e tirava sarro dele porque parece que isso fazia ele lembrar a Mãe.

Uma vez a gente foi a um lugar secreto com a nossa Vó. Era uma parede semicircular gigante, de areia vermelha, que antes ficava dentro do mar. Era dar um bico que caía uma concha. Isso bem no meio de uma plantação de linhaça bem amarelinha.

O Pai não foi. O Pai não teve nada a ver com aquilo.

PAI

Ela estava gripada. Não era normal ela ficar
doente. Os meninos eram bem pequenos e tinha
nevado e ela não aguentava o nosso agito dentro
de casa então a gente se vestiu e foi andar de trenó
no parque. A gente não servia pra nada sem ela.
Os meninos não sabiam onde ficavam os gorros.
Não davam jeito de enfiar as luvinhas de lã pelas
mangas das jaquetas estofadas; não queriam ver
outros meninos, meninos maiores, descendo
o morrinho de trenó. Eu era uma desgraça. Eu tirei
eles de casa sem botinhas de borracha aí a gente
nem tinha chegado na rua e eles já estavam
com os dedos dos pés doendo. Os dois estavam
choramingando e nós três sentindo que sem ela
as coisas não funcionavam como deviam. Eles
ficaram com pena de mim. Eu me senti agudamente
envergonhado ao ver exposto o fato de que meu
brilhantismo como pai dependia integralmente dela.
Talvez se eu soubesse que aquilo era uma prova
de figurino pro resto da nossa vida eu tivesse dito
SEGUREM ESSA ONDA, SEUS BOSTINHAS,
ou ME DEEM UMA MÃO AQUI. Ou me leve,
me leve em vez dela por favor.

PAI

Coisas de que o Corvo NÃO tem medo:
Ted.
Biografias de Sylvia.
Deus.
Usinas eólicas.
Criancinhas órfãs.
Águias carecas.
Boneca de piche.
Espantalhos.
Homens.
Morte.

Coisas de que o Corvo TEM medo:
Divórcio.
Trama.
Negócios.
Católicos.
Arame farpado.
Pesticidas.
Fofoca.
Taxidermia.
Keith Sagar.

PAI

Cerca de dois anos depois, cedo demais mas na
hora mais justa, eu levei uma mulher pra casa, uma
especialista em Plath que eu conheci num simpósio.

Ela era divertida e inteligente e fez o que pôde
naquela situação toda fodida. A gente teve que ficar
quietinho porque os meninos estavam dormindo no
andar de cima.

Ela era lisinha e linda e o seu corpo nu era diverso
do da minha mulher e o seu hálito cheirava a melão.
Mas nós estávamos no sofá que a minha mulher
comprou, tomando vinho em taças que a minha
mulher ganhou de presente, embaixo do quadro
que a minha mulher pintou, no apartamento em que
a minha mulher morreu.

Eu não transei com muitas mulheres, e só fiquei bom
na coisa com a minha mulher, fazendo o que ela
achava gostoso. Eu não queria fazer aquelas coisas, ou
pensar se por acaso devia estar fazendo aquelas coisas
ou pensando nisso de ficar pensando, o que quer dizer
que acabei batendo de cara nela, depois me ajoelhando
na coxa dela, depois gozando cedo demais, depois
dando duro demais, depois nem tão duro.

Mas foi bom, e ela era incrível, e a gente ficou
acordado fumando os cigarros fortes que ela tinha
trazido, soprando a fumaça pela janela e conversando
sobre tudo que a gente tinha lido e que não era sobre
a Sylvia ou o Ted.

Ela foi embora e eu fiquei nervoso por ter ficado
animado. Andei pelo apartamento como se fosse
a minha primeira vez ali, passos longos e extra-
determinados, conferindo os balcões. Dei uma
espiada nos meninos.

*

Quando desci, o Corvo estava no sofá
imitando minhas metidas, meus gemidos.

MENINOS

Parece que a gente vai se deixando definir por
períodos de dez anos, umas belas fases mandando
brasa, aí consideráveis sumidouros de melancolia.

Igual todo mundo, no fundo.

A gente antes achava que ela ia aparecer um dia
e dizer que tinha sido tudo um teste.

A gente antes achava que podia morrer, os dois,
na mesma idade dela.

A gente antes achava que ela estava olhando,
do outro lado dos espelhos.

A gente antes achava que ela era um agente secreto,
mandando dinheiro pro Pai, pedindo informações
atualizadas.

A gente envelheceu ela direitinho, nunca deixou
ela presa. A gente chamou direitinho ela de Vovó,
quando o Pai virou Vovô.

Tomara que ela goste da gente.

PAI

Meu menino querido,

Numa noite de Natal, uns três anos depois da morte da tua mãe, eu tinha posto você e o teu irmão na cama e estava esparramado no sofá bebendo vinho tinto e lendo R.S. Thomas quando ela entrou e disse Oi. Estava nua, fora as meias (nunca foi um visual dos mais lindos nem quando ela estava viva). Ela tropeçou no tapete, quase caiu, e deu com o joelho na mesinha de centro. A gente subiu e eu passei tintura de arnica no hematoma e a gente ficou brigandinho por causa da bagunça no armário dos remédios. Aí a gente encheu as meias de vocês com os presentes e foi na pontinha dos pés até o quarto de cada um pra largar as meias do lado da cama. Eu fui dormir e a tua mãe ficou um tempo acordada lendo.

Isso é totalmente verdade.

Você está sendo bonzinho? Não se preocupe com isso de fazer coisas ou não fazer coisas, não faz mal.

Beijo,

Pai

MENINOS

Um irmão ficou quietinho dentro dos cacos de
irmão e fez força, mas sentiu raiva. Sou eu. Eu tive
uns anos mais difíceis, agora estou bem, mas calado
e sem sentimentalismos. Meu irmão grita KRAAAA
e conversa com eles. Os anos terríveis da minha vida
foram manchados de corvo. E eis um segredinho.
Eu nunca cheguei a ler. Não gosto de Hughes e
não gosto de poesia.

Insanidade. Pretensão. Negação. Indulgência.
Bobagem.

Na adolescência eu levei uma espingarda de pressão
pro campo, pra matar corvo. Derrubei um e quis
continuar. Quis empilhar uma pilha fogueira de aves
pretas mortas, com aqueles bicos malvados. Mas eles
são tão inteligentes que perceberam o que eu estava
fazendo e foram ficando longe só o suficiente.

Eu fui até o único corvo morto e cheguei
a tempo de ver o bicho sair mancando pelo chão
pontilhado de pedras.

O Pai teve umas namoradas mas nunca mais casou,
o que pareceu ser a melhor coisa pra todo mundo.

Eu sou um ou outro irmão.

PAI

Tocar o barco, enquanto conceito, veio à tona, um
ou dois anos depois, graças a homens meus amigos
que falavam em nome de suas adoradas esposas.
Mulheres que nos amavam. Mulheres que me
conheciam desde criança.

Ah, eu disse, a gente não está parado. A GENTE ESTÁ
VOANDO PELO ESPAÇO QUE NEM TRÊS OTÁRIOS
MAGNÍFICOS SEM FREIOS, obrigado, Geoffrey,
e mande um abraço pra Jean.

Tocar o barco, enquanto conceito, é pros imbecis,
porque qualquer pessoa razoável sabe que o luto
é um projeto de longo prazo. Eu me nego a apressar.
Que homem nenhum faça lenta ou veloz ou conserte
a dor que sobre nós se lançou.

Então eu entrei no quarto deles com o azul-marinho
da noite de verão e fiquei ouvindo a respiração dos
dois. Edredons amassados, emaranhados, perninhas
e braços lisos que emergiam do algodão estampado
com robôs e piratas e outros tantos brinquedos.
Minha mulher e eu normalmente vínhamos ajeitar
os dois na cama e ficar espantados com o quanto eles
eram perfeitos dormindo. A gente ria de como eles
eram lindos — "é coisa de louco!", a gente dizia.
E era, coisa de louco.

E eu fiquei ali parado e respirei o alento deles
e considerei — como sempre — coisas como
fragilidade, perigo, sorte, imperfeição, acaso, ser

bondoso, ser engraçado, ser honesto, olhos, cabelo,
ossos, a impossível epiderme frenética que se
rejuvenesce sozinha em silêncio, nunca nervosa,
sempre beijável, mesmo quando coberta de cascas
de ferida, mesmo salgada como eu deixava, e em
tantas dessas noites eu fiquei tão completo, tão
absolutamente destroçado pelo tamanho do amor
que sentia por aquelas crianças, que perguntei,
em voz alta:

Vocês querem TOCAR O BARCO?

Nada de resposta.

Será que a gente devia pensar em TOCAR
O BARCO?

O fluxo e o farfalhar do ar nas narinas, de
línguas que estalam, suspiros, o doce ar superior
concentrado num quarto no topo de um
apartamento em que gente jovem sonha.

Não, eu dizia, eu concordo, a gente está mais
do que bem.

O Corvo se juntou a mim quando eu ia saindo,
fechando a porta, e me deu um forte abraço
na cabeça.

Você não está sozinho, garoto.

MENINOS

Era uma vez o dia em que sou adulto,
tenho um filho. E uma esposa. E um carro.
Eu falo meio igual ao Pai.

A gente passa de carro por Chilterns, por Downs,
por Moors, por Broads, cantando *Passeios Britânicos
para gente Britânica*. Meu Pai fez isso, ele mostrou
a Grã-Bretanha pra gente. Cader Idris, Shingle Street,
Mallyan Spout. Agora meu filhinho minúsculo grita
"cra" quando vê um corvo, porque quando vejo um
corvo eu grito KRAAAA.

Eu conto histórias do amigo da família, o corvo.
Minha esposa sacode a cabeça. Ela acha esquisito eu
lembrar com carinho de passeios de família com um
corvo imaginário, e eu lembro a ela que podia ter
sido qualquer coisa, podia ter dado coisas diferentes,
mas algo mais ou menos saudável aconteceu. Nós
temos saudade da nossa Mãe, nós amamos o nosso
Pai, nós acenamos para os corvos.
      Não é esquisito.

PAI

"Escuta-isso-aqui, é-bom-de-se-ouvir,
rum-pum-papum-parrr-rum."

Parp!

"Vai embora, Corvo."

HOMEM   Como é que você sabe quando encontrou uma coisa que vale a pena bicar?

AVE   Bom, em grande medida isso vem de um estado de prontidão, que é tanto instintivo (fomes e vícios etc.) quanto pragmático (um pacote de bolachas bonitão, um viúvo bonitão). Você vai lembrar de certos momentos lá no início do meu trabalho com você, quando o que parecia ser corvídea vulgaridade era na verdade um programa terapêutico altamente articulado, pensado para reagir às nuances da sua recuperação.

HOMEM   E eu respondi como você esperava?

AVE   Melhor. Mas o crédito é dos meninos, e do prazo estipulado. Eu sabia que quando você mandasse pro editor a versão final do seu livro sobre o Corvo o trabalho estaria concluído.

HOMEM   O meu luto teria passado?

AVE   Não, não mesmo. Você parou de ser inútil. Com o luto você ainda está lidando, e pra isso você não precisa de corvo.

HOMEM   Verdade. Muda o tempo todo.

AVE   O luto?

HOMEM   Sim.

AVE   Ele é tudo. É o tecido da identidade pessoal, e é maravilhosamente caótico. Tem características matemáticas em comum com muitas formas naturais.

HOMEM   Por exemplo?

AVE   E por onde começar? Ah, penas. Fezes? Ondas? Favos? Barbante? Intestinos? Ossos? Penas, já falei isso, aquelas portinhas de gatos, não, espera, patos, fatos, tratos, falhas, gralhas, ticos, meu bico rico no...

HOMEM   Que coisa ridícula.

Senti que se o fantasma da minha esposa algum dia me assombrou, aquele era o momento em que ele ia começar a sussurrar "Você tem que pedir pro Corvo ir embora".

MENINOS

Isso é o que a gente sabe do Pai. Ele foi um menino
calado. Ficava pra trás nos passeios da família,
desenhava à toa e a sério e ficava magoado bem
fácil por causa dos meninos mais grossos da escola.
Ele não era bom de contas. Passou os primeiros
vinte anos da vida lendo livros, sendo não-ruim-mas-
não-talentoso em futebol e esperando a Mãe.
Ele adorava os mitos gregos, os russos e Joyce.
Ele estava esperando pra ser o nosso Pai.

E aí a nossa Mãe e o nosso Pai se apaixonaram
e viraram uma coisa forte mesmo, que nem pedra,
e duradoura, e as pessoas falam de leveza e alegria
e espontaneidade e do fato de que o cheiro dos dois
virou um cheiro só, o nosso cheiro. Nós.

Depois ele ficou mais calado. Por uns dois ou três
anos, pelo que todo mundo dizia, ele ficou bem
estranho. Tinha a perpétua aparência, e a conduta,
de alguém que boiasse, solto na luz dourado-cerveja
da tarde e ficando surpreso com o quanto o calor
durava. Um ombro rolado, um meio sorriso meio
de olhos cerrados. Alguém que a desconcertante
lentidão da tristeza ao ir embora deixava perplexo
pra sempre, eternamente, eternamente. O que eu
acho, hoje em dia, que era por causa da gente. Ele
não podia surtar. Não podia querer morrer. Não
podia reclamar de uma ausência que ainda sorria,
cantava, sardentava ao sol do verão da Inglaterra
tweedle dee tweedle dum diante dele. Se alguma

coisa o Corvo ensinou a ele talvez tenha sido
um permanente equilibrismo. Na falta de palavra
menos suja: fé.

Um berro pedindo desculpas que é sim que
é obrigado que é adiante.

PAI

Meu livrinho sobre Ted Hughes até que foi bem recebido. Saiu uma resenha no *TLS*:

"Ao recusar à queima-roupa uma crítica construtiva seja a Hughes seja à sua poesia, o livro certamente há de encantar os verdadeiros admiradores de ambos."

Meu editor seboso de Manchester me pagou um almoço.

Eu lhe falei a minha ideia de uma edição da obra completa de Ted Hughes, anotada pelo Corvo.

"Que tal um livro sobre Basil Bunting?", ele disse.

Eu expliquei que o Corvo ia violar, ilustrar e poluir a obra de Ted. Seria uma análise mais aprofundada, selvagem de verdade, uma avaliação crítica e um ato de vingança. Seria um livro de recortes, uma colagem, um romance gráfico, uma dissolução das fronteiras entre formas porque o Corvo é um trickster, ele é antiguidade e pós-modernidade, ilustrador, editor, vândalo...

"Pedimos a conta?", disse o meu editor. "Você tem que tocar o barco. Agora que tal um livrinho sobre Piper e Betjeman?"

Então eu fui pra casa, pra conversar com o Corvo sobre a hora de seguir cada um pro seu lado.

Eu não o encontrei. Descobri que os meninos tinham jogado bolas de papel higiênico encharcado no teto do banheiro, o que me deixou puto porque eu tinha dito pra eles que aquilo manchava a pintura, e quando consegui limpar tudo e fazer a janta deles e colocar os dois na cama eu percebi, claro, que o Corvo tinha ido embora.

CORVO

Licencinha, eu vou indo.
Será que dou uma volta final completa, a fronteira
Meninos/Pai,
    pulinho/espiada/pulinho/parado?
Será que deixo uma oferenda, saio à caça de luto
    levando merenda?
Sonhei que o braço dela estava azul quando eu
a achei,
Vermelho onde toquei, reagiu, pico-um-pouco,
alguma coisa?
Nenhessa molícia ofosca deu a ver seu osso,
Acidente doméstico.
Ela bateu a cabeça, sonhou um pouco, vomitou,
    dormiu, levantou e caiu,
Deitou e morreu. Fiozinho de sangue no ouvido.
Pulinho/espiada/farejo/provando/melhor não.
Perda total.

Bochecha sem vida, sem vida a canela, pé, dedão.
    Aliança. Sorriso.
A ambulância chega, os meninos na escola
    aprendendo, aprendendo.

Como você, viúvo inglês, cabeça folhada,
Reverso da beira do abismo do barco tocado,
gemidos,
    e bicos, rebufos e bafos,
Salários e provas, pisadas na bola, mentiras,
momentos de êxtase,
Morto o medo todo como campo inteiro em flor.
    Começa de novo quando for a hora certa.

Tem pai que faz isso, tem pai que faz aquilo. Uns
maus desde sempre, outros quase decentes.
Salgueiros, saleiros, foi-um-dia-assim. Estalos
de elástico, fungada, um espirro e adeus.
Queimada, faz crescer mais forte.

Peritos, viraram, em ter saudade de uma mãe.
Nada mais que meu prazer.

Só sejam bonzinhos e escutem as aves.

Viva todo bicho imaginário, sua necessidade,
seu poder.

Só seja bonzinho e cuide do seu irmão.

MENINOS

O Pai falou que já estava mais do que na hora de
a gente jogar as cinzas da Mãe.

Ele ligou pra escola de manhã pra dizer que a gente
estava com um vírus de doença. Eu estou numa
enfermaria da peste, ele brincou com a secretária,
está difícil aqui, eles estão purgando pelas duas
pontas, se é que a senhora me entende.

Que nojo. A gente riu.

Pulinho pra fora, meninos. Casaco e gorrinho,
vamos lá.

PAI

Nós fomos a um lugar que ela adorava. Eu disse pra
eles no carro, na ida, que eu sabia que estava sendo
um pai estranho depois que a Mãe morreu. Eles
disseram que estava tudo bem. Eu disse pra eles que
aquela bobagem toda do Corvo tinha acabado, que eu
ia pegar mais aulas e parar de pensar em Ted Hughes.

Eles disseram que estava tudo bem.

Nós estacionamos o carro e caminhamos em
diagonais contra o vento.

Fizemos xixi e o vento soprou nossa urina de volta
nas calças.

Enquanto os meninos cavavam nos seixos eu caí
no sono e quando acordei eles estavam dormindo,
encostados em mim, como guardas, de capuz
erguido. Eu estava quente.

Não acordei os dois. Andei até a linha d'água.
Eu me ajoelhei e abri a lata.

Disse o nome dela.

Recitei "Lovesong", um poema de que eu gostava
muito mas que ela nunca achou grandes coisas.
Pedi desculpas por ler aquilo e me disse que estava
tudo bem.

As cinzas estavam se mexendo e pareciam ansiosas
então eu inclinei a lata e gritei ao vento

EU TE AMO EU TE AMO EU TE AMO

e subiram, ideia de uma nuvem, o fracasso
das nuvens, cientificamente mero momento
e visualmente desespero, negror de pequenas
aves queimadas pontilhando o céu cinzento,
mar cinzento, o sol branco, e adeus. E os meninos
estavam atrás de mim, quebra-mar de risadas
e gritos, agarrados às minhas pernas, tropeçando
e segurando, saltando, girando, quase-caindo,
berrando, guinchando e os meninos gritaram

EU TE AMO EU TE AMO EU TE AMO

e a voz dos dois era a vida e a canção da mãe deles.
Inacabada. Linda. Tudo.

posfácio

Caetano W. Galindo

Na metade dos anos 1960, o artista plástico Leonard Baskin entrou em contato com seu amigo Ted Hughes para pedir que ele escrevesse, quem sabe, um ou outro poema sobre corvos. Era a insinuação de uma parceria. Baskin estava há algum tempo interessado no potencial gráfico da figura do corvo. Hughes não sabia onde estava se metendo.

Poucos anos depois ele já tinha embarcado não apenas numa obra, mas em toda uma nova fase de sua carreira, que o transformaria de poeta reconhecido que já era num dos nomes mais importantes das letras britânicas no século xx. E o livro que acabou surgindo daquela estranha "visita" de um corvo americano foi seu primeiro passo nessa nova direção, e viria a ser o trabalho que ele considerava a obra-prima de toda sua carreira.

O livro de poemas *Crow* foi publicado em 1970, com uma belíssima ilustração de Baskin na capa. Tomei contato com ele em algum momento do fim dos anos 1990, quando Hughes (1930–1998) ainda estava vivo. Para mim, foi uma experiência mais que poderosa. Para Max Porter, foi o mote para este livro que você acabou de ler.

A figura do Corvo, derivada de sua reputação como *trickster*, como o espertalhão que engana homens e deuses em várias mitologias, sempre para conseguir benefícios inesperados, somava-se no breve livro de Hughes ao peso de "O Corvo" de Edgar Allan Poe e à recorrência da personagem Sweeney na primeira poesia de T.S. Eliot, para gerar uma imagem poderosíssima, cáustica, destrutiva e criadora. Exatamente como cabe aos bons *tricksters*, como o nosso Saci, por exemplo.

Biograficamente, é claro que não se pode esquecer que *Crow* foi escrito logo depois do suicídio de Sylvia Plath, então esposa de Hughes. Muito embora o Pai no livro de Porter tente reafirmar constantemente que já passou a hora de se chafurdar no drama pessoal do casal de poetas, a mulher morta, o filho que fica (Nicholas, que também cometeria suicídio em 2009) são marcas que não deixam de assombrar a poesia de Hughes e que, claro, sublinham os paralelos possíveis entre seu livro de poemas e a obra de Porter. Aliás, vale lembrar que também o homem que é abordado pelo Corvo no famosíssimo poema de Poe está de luto pela perda da amada.

E o peso de toda essa tradição literária não deixará de ser sentido agora, desde o primeiro momento em que um homem solitário recebe a visita de um corvo no meio da noite, exatamente como acontece nos versos de Poe. E é claro que Porter não apenas aceita como também chama atenção para essas conexões ao fazer de sua personagem central um especialista na obra de Hughes. Mas ele não para por aí. O título original de seu livro, *Grief is the Thing with Feathers* (*O Luto é a Coisa com Penas*), afinal, vem ainda de outra fonte. Contraparte feminina.

Grief is the Thing with Feathers representa uma alteração de apenas uma palavra num dos versos mais famosos da literatura norte-americana, "'Hope' is the thing with feathers", de Emily Dickinson (1830–1886) — onde ela falava de esperança, Porter agora menciona o luto.

Apesar de poder ser como que obscurecida pelo processo de tradução (entre nós não há uma tradução canônica da poesia de Dickinson a que se possa fazer referência inequívoca, contando que todos os leitores perceberiam a alusão), essa conexão literária é gritante para o leitor sofisticado de língua inglesa. É aquele tipo de citação com cujo reconhecimento o autor seguramente conta. Até por isso, vale a pena falar ainda que brevemente do poema de Dickinson.

Honestidade total: Emily Dickinson para mim é o Santo Graal da tradução poética. Perfeição formal, lucidez de expressão, musicalidade, densidade de conteúdo, complexidade de imagens, tudo... Mas, aqui, talvez seja mais interessante apresentar uma tradução que não se preocupe com metro e rima, e permita apenas uma leitura um pouco mais grudada no sentido do poema original: "Esperança" é a coisa com penas que na alma se empoleira e canta a melodia sem a letra, sem jamais cessar, e na tempestade faz-se ouvir com mais doçura; e há de ser dura a chuva que perturbe a ave que a tantos já aqueceu; eu a ouvi na terra mais fria e no mar mais distante, mas nunca, nos momentos mais extremos, ela veio me pedir uma migalha.

Ela fala de "esperança", assim mesmo, entre aspas. E o retrato que oferece desse pássaro que canta mas não diz coisa alguma (muito ao contrário do nosso amigo Corvo) também relativiza o sentido da palavra. A leitura mais simples parece ser "eu nunca tive essa tal dessa esperança que consola os outros". Mas basta escavar um pouco para verificar que o solo é instável. A esperança, nesse poema, é desejável? Logo essa "coisa" empenada que se apodera de um canto da alma e insinua mas não diz? Essa coisa que vive de pedir migalhas?

Por mais que eu quisesse, não cabe aqui entrar em discussões mais aprofundadas do poema. E o próprio Max Porter, numa entrevista, cita a crítica americana Helen Vendler para dizer que a "coisa" de Dickinson tem pelo menos sete sentidos diferentes. Sua poesia é sempre sem fundo, por sob a aparente simplicidade. Mas o fato é que a rasura que Porter realiza, meramente trocando a palavra aspeada, transfere toda essa complexidade para um termo que pareceria pertencer a um mundo sem "esperança". Um mundo de privação, de sofrimento: um mundo de luto.

Isso pelo menos até você terminar de ler o livro.

Um livro, aliás, que começa já na epígrafe com outra rasura, agora literal, de mais um poema de Dickinson. Se o autor contava que você percebesse por conta própria a substituição de "esperança" por "luto" lá na capa, aqui, bem diante dos teus olhos, ele troca o "amor" pelo "Corvo".

Todo esse aparato de fontes, referências e citações (e não se engane, esse meu comentário não passa nem perto de exaurir o tema) confere algum refinamento e certa densidade ao livro de Porter. Não há como negar. Mas nada disso serviria para manter de pé o texto que você acaba de ler; e muito menos para fazê-lo voar.

Nem essa ancoragem na tradição e nem mesmo a liberdade de invenção que o livro demonstra, sua coragem de abandonar modelos mais tradicionais, estáveis e "lineares" de narração e de comunicação... nada disso bastaria para justificar o impacto que *Luto é a coisa com penas* acaba tendo. E é isso, afinal, que conta mais. É isso que vai garantir para esse pequeno livrinho um lugar na história literária que não há de ser muito distante daquele que hoje ocupam os poetas e prosadores (James Joyce é outra sombra presente) em cujos ombros ele pousa.

De minha parte, fica a imensa felicidade de ter sido convidado a traduzir este livro. O imenso prazer de voltar mais de vinte anos depois ao universo do *Crow* de Hughes, e de encontrar esse seu descendente, tão brilhante quanto ele, mas talvez movido por um sentimento diverso. Olhe para aquela epígrafe, lembre do final do texto, pense qual é de fato a força que aqui neste universo move o Sol e as demais estrelas.

Max Porter aceitou correr riscos, produziu uma obra diferente, um ser estranho e difícil de se categorizar, uma pedra no caminho, um tropeço, um agouro, uma bênção: um Corvo.

Muito obrigado.

glossário

Eduardo Coelho

BUNTING, BASIL (Northumberland, 1900 – Hexham, 1985). Poeta inglês. Trabalhou com Ford Madox Ford na *Transatlantic Review*. É considerado pela crítica acadêmica um dos autores mais importantes da poesia moderna de língua inglesa. Em sua obra, destaca-se a capacidade de expressar complexidade emocional sob formas simples, embora de grande apuro técnico. Autor de *Redimiculum Matellarum* (1930), *The Spoils* (1965), *Briggflatts: An Autobiography* (1966), *What the Chairman Told Tom* (1967), *The Complete Poems* (1994), entre outros.

BETJEMAN, JOHN (Londres, 1906 – Cornualha, 1984). Poeta inglês. Sua obra apresenta traços de nostalgia, valendo-se de formas tradicionais da lírica; também revela tendências parodísticas e satíricas. Alcançou grande sucesso de crítica e de público. Autor de *Mount Zion; or, In Touch with the Infinite* (1931), *Old Lights for New Chancels: Verses Topographical and Amatory* (1940), *Slick but Not Streamlined: Poems and Short Pieces* (1947), *Collected Poems* (1958), *Summoned by Bells* (1976), entre outros. Foi poeta laureado do Reino Unido de 1972 a 1984.

DYER, GEORGE (Londres, 1755 – Londres, 1841). Biógrafo, ensaísta e poeta inglês. Sua produção tem sido caracterizada pela crítica como uma colaboração menor à poesia romântica de língua inglesa, que compreende autores da grandeza de T.S. Coleridge e Wordsworth. Em sua obra, destaca-se especialmente suas reflexões acerca do lugar da poesia numa sociedade hostil. Autor de *Poems* (1792), *The Poet's Fate: A Poetical Dialogue* (1797), *Poems and Critical Essays* (1802), entre outros.

GURNEY, IVOR (Gloucester, 1890 – Dartford, 1937). Poeta e compositor inglês. Começou a escrever poesia durante a Primeira Guerra Mundial, de que participou. A guerra, o amor e a loucura são questões recorrentes em sua obra poética. Há diversas publicações póstumas de seus versos, como *Severn & Somme and War's Embers* (1997), *Collected Poems* (2004), entre outras.

HUGHES, TED (Mytholmroyd, 1930 – Londres, 1998). Poeta inglês. Considerado pela crítica acadêmica um dos maiores escritores do século xx. Sua obra se caracteriza pela recusa da sentimentalidade, pela exploração de temas míticos e pelos mistérios da linguagem. O interesse pelo reino animal é outra marca importante de seus versos, em que se destacam a selvageria e os valores simbólicos da natureza. Evitou a ironia predominante na lírica inglesa do período em que começava a escrever, renovando-a significativamente. Casado com Sylvia Plath, foi responsável por editar uma série de livros dessa autora após a sua morte. Foi poeta laureado do Reino Unido de 1984 até sua morte. Autor de *The Hawk in the Rain* (1957), *Lupercal* (1960), *Animal Poems* (1967), *Crow: From the Life and Songs of the Crow* (1970), *Flowers and Insects: Some Birds and a Pair of Spiders* (1986), entre outros.

KLEIN, MELANIE (Viena, 1882 – Londres, 1960). Psicanalista austríaca. Uma das pioneiras da psicanálise dedicada à pesquisa e ao tratamento de crianças. Também se dedicou a pesquisas sobre o estado maníaco-depressivo. Autora de *Psicanálise de crianças* (1932), *Uma contribuição à psicogênese dos estados maníaco-depressivos* (1935), *O luto e suas relações com os estados maníaco-depressivos* (1940), entre outros.

MANDELSTAM, OSSIP (Varsóvia, 1891 – Sibéria, 1938). Poeta naturalizado russo. Considerado pela crítica acadêmica um dos grandes nomes da literatura do século xx. Renunciou ao estilo simbolista, que predominava entre os poetas do seu tempo. Buscou expressar-se através de uma linguagem mais direta, sem os aspectos metafísicos e ocultistas típicos do simbolismo europeu. A defesa dos valores humanistas é um dos aspectos mais ressaltados em sua obra. Autor de *Pedra* (1913), *Tristia* (1922), *O rumor do tempo* (1925), entre outros.

PLATH, SYLVIA (Boston, 1932 – Londres, 1963). Poeta, contista e romancista norte-americana. Considerada um dos grandes nomes da literatura de língua inglesa do século xx, seus versos aparentemente simples se destacam pela presença de sentimentos conflituosos, muitas vezes ligados a questões autobiográficas, em que, do cotidiano, surgem perturbações de caráter psicológico. O modo de vida norte-americano do pós-guerra e suas contradições é um dos aspectos centrais de sua poesia. Foi casada com o também poeta Ted

Hughes, responsável por editar uma série de livros póstumos da autora. Escreveu os livros *The Colossus and Other Poems* (1960), *A redoma de vidro* (1963), *Ariel* (1965), entre outros.

REDGROVE, PETER (Kingston-upon-Thames, 1932 – Falmouth, 2003). Dramaturgo, poeta e romancista inglês. Sua obra revela interesses diversos: manifesta descrições acerca da exuberância da natureza, especialmente das paisagens da Cornualha; apresenta relação com o misticismo e as ciências naturais, que estudou. Autor de *The Collector* (1959), *The Force and Other Poems* (1966), *The Mother, the Daughter, and the Sighing Bridge* (1970), *Man Named East and other New Poems* (1985), *Dressed as for a Tarot Pack* (1990), entre outros.

THOMAS, R.S. (Cardiff, 1913 – Criccieth, 2000). Poeta e clérigo anglicano do Reino Unido. Sua obra apresenta, de modo realista, o cotidiano e os obstáculos da vida em meio à natureza. Ao servir a igrejas em cidades galesas, aproximou-se de personagens ligados ao trabalho e ao cenário agrícolas, que se manifestam em sua poesia. Autor de *The Stones of the Field* (1946), *Song at the Year's Turning* (1955), *The Mountains* (1968), *Laboratories of the Spirit* (1975), *The Echoes Return Slow* (1988), entre outros.

WINNICOTT, DONALD WOODS (Plymouth, 1896 – Londres, 1971). Pediatra e psicanalista inglês. Dedicou-se ao estudo dos laços corporais entre mães e filhos. Autor de *Jogo e realidade: o espaço potencial* (1971), entre outros.

MAX PORTER é um escritor inglês e já trabalhou como livreiro e editor. *Luto é a Coisa com Penas*, seu primeiro romance, ganhou o *Sunday Times*/Peter, Fraser + Dunlop Young Writer of the Year, o International Dylan Thomas Prize, o Europese Literatuurprijs e o BAMB Readers' Award. Foi traduzido para 27 línguas e adaptado para os palcos em 2018, com direção de Enda Walsh. É autor de *Lanny* (2019) e *The Death of Francis Bacon* (2021). Saiba mais em maxporter.co.uk.

CAETANO W. GALINDO é professor de Linguística Histórica na UFPR e doutor em Linguística pela USP. Já traduziu livros de James Joyce, T.S. Eliot, J.D. Salinger e Thomas Pynchon. É autor de *Sim, eu digo sim: uma visita guiada ao Ulysses de James Joyce* (2016) e do livro de contos *Sobre os Canibais* (2019).

WATANABE SEITEI (1851-1918) foi um pintor versado na arte Nihonga (pinturas em conformidade com as convenções artísticas, técnicas e materiais tradicionais japoneses). Seitei era conhecido por combinar o realismo ocidental a cores delicadas e a lavagens da escola Kikuchi Yōsai, apresentando uma abordagem diferenciada para a kachōga (pintura de pássaros e flores). A guarda de *Luto Sem Medo* homenageia seu poderoso trabalho.

ELEANOR CROW é ilustradora e uma ávida leitora. Foi convidada por Max Porter para dar vida ao corvo matreiro na capa do livro por conta de seu sobrenome, tão relacionado ao adorável personagem. Ela vive em Londres e adora desenhar de tudo, de tatus a abobrinhas. Saiba mais em eleanorcrow.com.

*E então atinamos
o final de nossa jornada.*

*E então ali ficamos,
vivazes no rio de luz,*

*Em meio às criaturas de luz,
criaturas de luz.*

Ted Hughes, "That Morning"